MADAME HAYAT

DU MÊME AUTEUR

COMME UNE BLESSURE DE SABRE, Actes Sud, 2000.
L'AMOUR AU TEMPS DES RÉVOLTES, Actes Sud, 2008.
JE NE REVERRAI PLUS LE MONDE, Actes Sud, 2019 ; Babel n° 1773.

"Lettres turques"
série dirigée par Timour Muhidine

AHMET ALTAN

Madame Hayat

roman traduit du turc
par Julien Lapeyre de Cabanes

ACTES SUD

I

La vie des gens changeait en une nuit. La société se trouvait dans un tel état de décomposition qu'aucune existence ne pouvait plus se rattacher à son passé comme on tient à des racines. Chaque être vivait sous la menace de sombrer dans l'oubli, abattu d'un seul coup comme ces pantins qu'on prend pour cible dans les fêtes foraines.

Ma propre vie avait changé du jour au lendemain. Ou à vrai dire, celle de mon père. À l'issue de divers événements que je n'ai jamais compris, un grand pays ayant décrété "l'arrêt de l'importation de tomates", mille hectares de terrain agricole se transformèrent en une immense décharge rouge. Une phrase donc avait suffi à ruiner mon père, cet homme qui, avec une témérité typique de ceux que leur travail au fond dégoûte, avait investi toute sa fortune dans un seul produit. Au matin d'une nuit agitée, il était mort d'une hémorragie cérébrale.

La violence du choc était telle que nous n'eûmes même pas le temps de porter le deuil. Nous vivions un bouleversement, en spectateurs appliqués et participants attentifs, mais sans réellement réussir à comprendre ce que la mort de notre père impliquait. Une vie que nous croyions ne jamais devoir changer venait de s'effondrer d'un coup, avec une facilité proprement terrifiante. Nous tombions dans un gouffre inconnu, mais la profondeur de ce gouffre, où et quand aurait lieu l'atterrissage, je l'ignorais. Je devais le découvrir plus tard.

De fortune, il nous restait la somme importante que ma mère avait à la banque, produit des quatre mille mètres carrés de serres florales que mon père lui avait offertes pour son "amusement". Ma mère me dit : "Je continuerai à payer tes études, mais tu dois oublier le luxe de la vie d'avant". À vrai dire, étudier la littérature dans une université lumineuse, au milieu de grands jardins, c'était déjà un luxe ; ma mère, pourtant, refusa catégoriquement d'entendre parler d'abandon.

Mon pauvre père avait voulu que je devienne ingénieur agricole, et moi j'avais insisté pour faire des lettres. Je crois que dans ma décision, au-delà d'une sorte de rêve d'aventureuse solitude au milieu d'un palais bâti en romans, il y avait la certitude qu'aucun de mes choix ne saurait menacer la sécurité de l'avenir qui m'était promis.

Une semaine après l'enterrement de mon père, je pris le bus de nuit pour retourner dans la ville où j'étudiais. Le lendemain matin, je candidatai pour l'allocation d'une bourse. J'étais un bon étudiant ; la bourse me fut accordée.

Je n'avais plus les moyens de payer le loyer du trois-pièces avec grand salon que je partageais avec un ami. Il fallait déménager. Je trouvai une chambre à louer dans un des vieux immeubles d'une rue de la soif où j'allais de temps en temps boire un verre avec mes camarades. C'était un bâtiment de six étages, datant du XIXe siècle, à la façade couverte de grappes violettes et aux balconnets ornés de balustrades en fer forgé. Il y avait aussi un vieil ascenseur en bois entouré d'une cage de fer, mais il ne marchait plus. L'ensemble, jadis, avait probablement servi d'auberge, désormais on y louait des chambres à l'unité.

Après avoir mis de côté les quelques vêtements qui m'étaient nécessaires, je déployai une rage absurde, comme si cela me vengeait de nos malheurs, à vendre pour trois fois rien à des brocanteurs mes livres, mon téléphone, mon ordinateur, puis j'emménageai.

La chambre avait un lit en laiton, à son chevet une vieille commode en bois, à côté de la porte du balcon une petite table ronde fendue en son centre, une chaise, et un miroir accroché au mur près de la porte. Il y avait aussi une douche et un cabinet, de la taille d'un placard. Pas de cuisine. Un grand salon du deuxième étage faisait office de cuisine commune. Une longue table en bois grossier occupait le milieu de la pièce, flanquée de deux autres semblables. Un énorme réfrigérateur de la marque Frigidaire, vieux d'au moins cinquante ans, ronflait dans un coin. Un comptoir aux bords recouverts de faïence blanche, un évier aux robinets en bronze dont les têtes en porcelaine portaient en français les inscriptions "chaud" et "froid", un samovar plein de thé, dont l'eau, étrangement, semblait ne jamais cesser de bouillir, et une télévision : c'étaient les seuls objets en partage dans la grande cuisine commune.

Le balconnet de la chambre était charmant. Je m'y asseyais sur une chaise pour observer la rue aux vieux trottoirs pavés. À partir de sept heures du soir, elle était bondée. À neuf heures, on ne voyait plus un pavé, une foule bigarrée la recouvrait entièrement, respirant, gonflant et s'élargissant comme un seul et unique corps. Un nuage lourd de senteurs d'anis, de tabac et de poisson grillé montait jusqu'à nous en même temps que les rires, les cris, les braillements de joie. On aurait dit que cette rue, dès l'instant où vous y mettiez le pied, vous faisait oublier le monde extérieur, et vous connaissiez alors l'ivresse d'un bonheur passager. Je suivais de loin cette fête dont j'étais désormais un élément du décor.

Les locataires prenaient leurs repas dans la cuisine. Ils avaient écrit leurs noms sur les boîtes qui remplissaient le frigidaire. Personne ne touchait aux aliments des autres. Un calme et un ordre inouïs régnaient dans cet immeuble peuplé d'étudiants pauvres, de travestis, d'Africains fabriquant et revendant des contrefaçons de marques célèbres, de gamins de la campagne qui couraient après un boulot à la journée, de videurs de bars et autres commis de cuisine qui travaillaient dans les restaurants du quartier. Personne ne commandait, aucune autorité ne s'imposait, et pourtant chacun s'y sentait en parfaite sécurité. On devinait bien qu'une partie des gens qui vivaient ici, une fois dehors, trempait dans des affaires louches, mais ce dehors-là n'entrait pas dans l'immeuble.

Je ne savais pas cuisiner ; faire à manger me répugnait même. En règle générale, je me contentais d'un morceau de fromage et d'une moitié de pain achetés chez l'épicier du coin de la rue. Comme beaucoup de nouveaux pauvres, j'appréhendais tout ce qui m'arrivait avec un mélange d'excès et de malhabileté comique.

Je ne me rendais dans la cuisine que pour boire le thé qui accompagnait mon "repas". J'y découvrais les biceps bagarreurs d'un videur qui se baladait toujours en débardeur noir et préparait des plats ahurissants, qu'il faisait goûter à tous ceux qui se trouvaient dans la cuisine au même moment : steak à l'ananas, bonite au gingembre, ce genre de bizarreries.

L'immeuble était aussi incroyablement sûr qu'il était un nid d'espions, chacun possédant toute une série d'informations sur les autres. C'est ainsi que j'appris, sans presque m'en apercevoir, que mon voisin de palier, un travesti qui s'appelait Gülsüm, était amoureux d'un cuisinier marié, que tout le monde appelait "le Poète" le gars qui habitait à deux chambres de la mienne, que Mogambo, un grand Noir qui vendait des sacs à main le jour, faisait le gigolo la nuit, ou que l'oncle d'un des gamins de la campagne avait tué son fils. Comme si les murs de la cuisine murmuraient des secrets.

Je saluais tout le monde, j'échangeais quelques mots avec chacun, mais ne me liais d'amitié avec personne. La seule personne avec qui j'aimais bavarder était Tevhide. Elle avait cinq ans, c'était le seul enfant de l'auberge. Avec ses cheveux bizarrement tondus et ses grands yeux curieux de tout, d'un vert sombre et profond, elle ressemblait à une goutte d'eau. La première fois que je la rencontrai, elle me fit signe du doigt de venir vers elle, et soufflant à mon oreille comme on confie un secret, elle me dit :

— Tu sais quoi, il paraît qu'il y a un chiffre mille cinq cents.

— Vraiment ? lui répondis-je en prenant l'air étonné.

— Je te jure, dit-elle, un copain me l'a dit aujourd'hui.

Quand je ne croisais pas Tevhide et son père dans la cuisine, je mangeais mon sandwich au fromage, buvais deux verres de thé puis retournais dans ma chambre, je regardais la rue, puis je feuilletais le dictionnaire de la mythologie que je n'avais pas réussi à vendre. Un trésor d'imagination vieux de milliers d'années m'emportait dans ses histoires de dieux dont le caractère et les aventures n'avaient rien à envier au pire des hommes, dans un univers de guerres infinies, d'amours, de jalousies, de maléfices et d'ambitions dévorantes, et pour un temps j'oubliais le monde tel qu'il était.

L'automne, saison majestueuse et "toute fatale", avait commencé à s'étendre sur la ville. Le temps se rafraîchissait, les cours reprirent.

Un soir, tandis que je dînais dans la cuisine, un type dont je ne connaissais pas le nom me demanda si je cherchais un petit boulot en dehors de mes heures de cours. Il y avait peu d'argent à se faire, mais il était facilement gagné. Je dis "oui" sans réfléchir ; chaque centime comptait, désormais. Il me tendit une carte sur laquelle figurait cette mention : "Les Copains – Figuration". Le lendemain, j'étais à l'adresse indiquée.

C'était il y a un an. À l'époque, j'ignorais encore que la vie est littéralement la proie du hasard et qu'un mot, une suggestion, ou rien qu'une carte de visite, dénués de volonté propre, par le minuscule mouvement qu'ils lui impriment, suffisent à la faire changer du tout au tout.

II

Quatre étages sous terre, un homme poussa la porte et me fit entrer. Je pénétrai dans une obscurité lumineuse.

Je fus aussitôt aveuglé par une pluie de lumière jaillie du côté opposé à la porte d'entrée, à l'autre bout d'une grande salle au plafond voûté. La violence du jet m'obligea à fermer les yeux ; je les rouvris progressivement. Sous les spots à la lumière crue qui étaient suspendus au plafond, les gens et les choses apparaissaient comme des trésors surnaturels. Sur le mur, un ballet tourbillonnant de faisceaux violets, bleus, mauves, réussissait à triompher de la blancheur mordante des spots. En dessous d'eux, un plateau d'environ trente centimètres d'épaisseur occupait le centre de l'espace. Des tables en forme de demi-lune étaient placées aux coins de cette scène, entourées de chaises habillées de voiles de satin noués en forme d'immenses papillons au niveau du dossier. À gauche du plateau, un orchestre de musiciens vêtus de chemises roses.

La lumière blanche des spots était réduite par les grands caches mobiles qui les encadraient, elle perdait en puissance à mesure qu'elle s'éloignait du plafond vers les murs qui restaient plongés dans le noir, encerclant d'une ceinture d'ombre le centre aveuglant de la salle. Des tables plus lointaines occupaient l'espace entre le plateau et les murs. Des gens y étaient attablés par groupes de trois ou quatre. Je m'assis à l'une de celles du fond.

Au signal de l'homme sur le plateau, les gens attablés se mirent à applaudir. Une femme vêtue d'une toilette rouge fit son entrée par une porte invisible située du côté où dansaient les faisceaux colorés, en chantant une chanson aux notes vacillantes. Elle était grosse. Sa robe au décolleté plongeant l'étranglait comme un corset ; ses seins, sa chair grasse, ses hanches lourdes débordaient à l'air libre. Mais elle ne cherchait pas à dissimuler ses formes, elle s'appliquait au contraire à en faire partout surgir les plantureuses rondeurs.

Toutes les chanteuses qui apparurent ensuite, dans des robes de couleurs différentes quoique toutes aussi près du corps, étaient du même calibre. L'une d'elles, vêtue d'un habit bleu sarcelle, était aux trois quarts enrobée de dentelles qui laissaient voir son soutien-gorge et toute la lourdeur de sa chair.

De ma vie, je n'avais jamais vu autant de femmes grosses et aguicheuses à la fois. Les codes esthétiques en vigueur dans cet endroit étaient bien différents de ceux de "là-haut". Dans le monde d'en haut, la mode était aux femmes jeunes, petite poitrine, hanches étroites, la chair mince, la jambe longue et fine, tandis qu'ici, en bas, on aimait les poitrines voluptueuses, les hanches larges, les chairs rondes et les fortes cuisses de femmes d'âge mûr, onduleuses et élastiques.

Les images tournées par les caméras s'affichaient simultanément sur un écran géant placé sur le mur à gauche du plateau. Elles montraient les chanteuses, mais aussi, de temps en temps, les spectateurs dans le public, et parfois l'un d'eux en gros plan. Ceux qui étaient installés aux tables situées directement sur le plateau semblaient être des vétérans de l'émission, on voyait qu'ils étaient habitués à l'endroit et à ses mœurs. La caméra fit soudain un zoom sur l'une des femmes assises à ces tables privilégiées. Son visage apparut en grand sur l'écran. On était aussitôt frappé par ses longs cheveux roux-blond, ses joues à la douceur élastique, comme si elles venaient d'être façonnées dans une pâte tendre, ses yeux aux contours soulignés de fins traits de khôl, ses lèvres délicatement retroussées vers le haut. Mais le plus étonnant était l'expression générale de son visage : il était tout empreint d'une espièglerie malicieuse, comme si elle s'apprêtait à lancer une blague assassine. Elle allait éclater de rire. Son visage disparut de l'écran sans que j'aie eu le temps de l'observer davantage.

Elle avait attiré mon attention depuis le début. Comme les autres femmes, elle portait une robe au décolleté profond, couleur de miel, qui moulait fermement son corps tout en rondeurs. Elle prenait plaisir à danser et à chanter, avec grâce, au rythme des autres spectateurs, quand ils commençaient à reprendre en chœur les chansons. Ses épaules nues brillaient dans la lumière. Et moi je n'étais pas très fort pour deviner l'âge des femmes. Ma mère avait l'habitude de dire que "comme les Blancs qui ne comprennent pas comment les Asiatiques aux yeux bridés arrivent à se reconnaître entre eux, les jeunes ne voient plus de différences entre les gens qui ont passé un certain âge". Elle avait raison. Au-dessus de trente ans, pour moi tout le monde se ressemblait. Néanmoins, il ne m'était pas dur de deviner que la femme sur scène avait entre quarante-cinq et cinquante-cinq ans.

Contrairement à la majorité des spectateurs du public, qui se mettaient à faire de grands gestes pour qu'on les filme dès qu'ils s'apercevaient que la caméra s'approchait d'eux, ses mouvements à elle n'avaient rien de démonstratif ni d'obscène. Elle avait de très belles hanches. Mais même lorsque son corps remuait dans les positions les plus étranges, les plus lascives, elle semblait devoir garder une sorte de contenance immaculée. Elle était très excitante, et cependant, d'une façon étrange, elle dégageait quelque chose de hautain, d'inaccessible. Jusque-là je n'avais jamais imaginé que les femmes âgées puissent être aussi attirantes. J'étais émerveillé, abasourdi.

L'émission dura deux heures. À un moment, je vis mon visage apparaître à l'écran. Des chanteuses dont je n'avais jamais entendu le nom chantaient des chansons dont je ne connaissais pas le titre. Plutôt bien, dans l'ensemble. Parfois même mieux que certaines stars de la chanson, alors on comprenait que leur carrière, pour en arriver là, pour échouer sur cette chaîne de télé regardée uniquement par les banlieusards, avait dû prendre un jour le mauvais virage, ou bien avaient-elles manqué de coffre, ou pris les mauvaises décisions, ou sombré avec leurs ambitions, par manque de foi en elles, de détermination. Pourtant elles n'avaient pas l'air de se plaindre, au contraire, elles semblaient heureuses de cette espèce de gloire souterraine qui ne se fraierait jamais un chemin de la périphérie des villes vers les lumières du centre.

Le tournage fini, les spots s'éteignirent, les lueurs bleues, mauves et violettes cessèrent leur danse, les lampes blafardes de la voûte s'allumèrent. L'usure des chaises et des tables apparut tout à coup, la saleté des lieux se révéla, les visages étaient accablés de fatigue. Une vieille odeur de tapis moisi se répandait.

La salle se vida peu à peu. Certains avaient regagné les coulisses pour se changer, d'autres partaient sans demander leur reste. Après avoir attendu un moment sans quitter ma place, je me levai à mon tour et sortis. Des chaises en plastique étaient alignées dans la pénombre du couloir. J'en choisis une et m'assis là. Je ne savais pas où aller ; après tant de lumières, ma chambre me paraissait grise et fade.

Ceux qui s'étaient changés en coulisses me dépassèrent un à un. Le silence s'installait. La grisaille des murs, anciennement chaulés de blanc, disparaissait peu à peu dans l'ombre. Puis j'entendis un bruit de pas. C'était la femme à la robe couleur de miel, elle s'était changée, elle portait un trench-coat sable, serré à la ceinture, des chaussures en daim couleur café, au talon carré, et ses cheveux étaient attachés.

Elle me jeta un regard du coin de l'œil, puis continua sa route sans dire un mot. Le martèlement de ses talons s'éloigna ; je l'écoutais s'enfuir. Elle arrivait aux escaliers. S'arrêta. Fit demi-tour. Le bruit s'approchait de nouveau.

"Elle a dû oublier quelque chose", pensai-je. Je gardais la tête baissée, les yeux fixés sur le carrelage. Soudain, je vis les chaussures café, elles étaient là, sous mes yeux, leurs pointes tournées vers moi.

— Qu'est-ce que tu attends avec cet air triste ?

Mon pouls battait si fort qu'un instant je crus ne jamais réussir à répondre.

— Rien, finis-je par articuler.

— Il y a un restaurant pas loin, dit-elle, j'y vais dîner. Accompagne-moi si tu veux, on dînera ensemble. Deux personnes valent toujours mieux qu'une.

Ma première pensée fut que je n'avais pas de quoi payer le dîner, or je ne sais pas si elle avait lu dans mes pensées, ou bien si elle y avait déjà pensé avant de me faire sa proposition, reste qu'elle ajouta aussitôt :

— C'est moi qui invite.

— D'accord.

Je me levai et la suivis dans les escaliers, sans dire un mot, jusqu'à la sortie de l'immeuble, et nous marchions dans la rue. J'écoutais toujours le bruit de ses talons. Cette rythmique cadencée, pour une raison que j'ignore, me mettait dans tous mes états.

Nous entrâmes dans un restaurant à la vitrine pleine de bocaux de compotes, de cornichons et de légumes en saumure. La salle était vide, sans doute à cause de l'heure. Un serveur accourut :

— Bonsoir madame Hayat, dit-il, où souhaitez-vous vous installer ce soir ?

— Dans le jardin.

Puis elle se tourna vers moi.

— Tu n'as pas froid, n'est-ce pas ?

— Non.

C'était un petit jardin intérieur, avec un bassin miniature surmonté d'un jet d'eau, couvert par des tonnelles, et au sol en béton. Des statuettes dépareillées, toutes plus loufoques les unes que les autres, peuplaient l'endroit, il y avait l'un des sept nains avec son chapeau rouge et pointu, une girafe miniature, une Vénus en plâtre, des oiseaux en céramique suspendus aux tonnelles, un chat aux airs de lynx, une princesse peinturlurée en bleu, un genre de

Cendrillon, un angelot qui tenait une baguette magique ornée d'étoiles…

Les tables étaient recouvertes de nappes bordeaux. À peine étions-nous installés, le serveur arriva avec son calepin.

— Qu'est-ce que tu bois ? me demanda madame Hayat.

Son nom m'obsédait. Depuis que j'avais entendu le serveur s'adresser à elle, je m'imaginais une sorte de personnage médiéval, et je me répétais dans toutes les langues : *Madame Hayat, Lady Life, Madame la Vie, Signora la Vita, Señora la Vida…*

— Ce que vous voudrez…

— Du raki ?

— Très bien.

Elle se tourna vers le serveur.

— Apporte-nous deux doubles rakis, s'il te plaît, et aussi un peu de vos délicieux mezzés, mais pas trop, car on prendra ensuite deux beaux filets de thon.

Elle revint à moi.

— Tu aimes le thon, n'est-ce pas ?

— Oui.

Je me sentais comme une brindille jetée dans un cours d'eau, et qui se laisse dériver avec bonheur.

Quand le garçon fut parti, elle m'interrogea.

— Alors dis-moi, qu'est-ce que tu fais dans la vie ? Tu es étudiant ?

— Oui.

— Et qu'est-ce que tu étudies ?

— La littérature.

— Moi je ne lis jamais de romans.

— Pourquoi ?

— Je ne sais pas, ça m'ennuie… Tout ce que les écrivains racontent, je le connais déjà. J'en sais assez sur l'humanité, je n'ai pas envie d'en savoir plus, ni trop.

— Et qu'est-ce qui vous intéresse alors ?

— L'anthropologie.

La réponse était tellement inattendue que j'en restai bouche bée, l'air parfaitement idiot. Et ce devait être exactement la réaction qu'elle attendait, car elle partit aussitôt d'un grand éclat de rire, le rire le plus joyeux que j'aie jamais entendu. Il y avait tant de choses dans son rire : les oiseaux du matin, des éclats de cristal, l'eau claire qui cascade sur les pierres d'un torrent, les clochettes qu'on accroche aux arbres de Noël, une bande de petites filles courant main dans la main.

— J'adore ce mot, reprit-elle. Il faut voir la tête que font les hommes quand je le dis ; il n'y a rien de plus drôle au monde. Parfois, je me dis qu'ils ont inventé le mot "anthropologie" rien que pour ça.

Elle continuait de rire.

— Tu ne m'en veux pas si je te taquine, j'espère ?

— Non, pas du tout.

"Ça me fait même plaisir", allais-je ajouter, mais je me retins.

— Comment tu t'appelles ?

— Fazıl.

— C'est un joli nom.

— Votre nom à vous c'est Hayat, n'est-ce pas, si j'en crois le serveur.

— Nurhayat, en réalité, mais tout le monde m'a toujours appelé Hayat.

À ce moment-là le serveur revint avec les rakis et les assiettes de mezzés, que madame Hayat répartit avec soin sur la table.

Tandis qu'elle arrangeait la disposition des entrées, je la regardais. Son visage était illuminé par une forme de maturité espiègle, elle n'était pas belle à proprement parler, mais elle avait quelque chose de plus attirant encore que la beauté, un pétillement de vitalité qui annonçait autant de hauteur et de moquerie que de tendresse désintéressée, comme devinant toutes les nuances de l'âme humaine, et qui vous attirait autant qu'il vous invitait à rester sur vos gardes.

— Qu'est-ce que tu regardes ? demanda-t-elle.

— Rien, j'étais perdu dans mes pensées, dis-je en détournant les yeux, le rouge aux joues.

— Allez, mangeons, les mezzés sont excellents ici. Mais ne te gave pas trop, il faut garder de la place pour le poisson.

Les mezzés étaient vraiment succulents, et le raki me fit aussitôt tourner la tête. Il y avait longtemps que je n'avais pas bu. En la regardant, je voyais apparaître et disparaître la femme de tout à l'heure, avec ses moues coquettes et sa robe de miel.

Avant même l'arrivée du plat principal, et à force de questions anodines, elle savait tout de moi et de mon histoire. Cela m'étonnait d'ailleurs, car d'ordinaire je n'aimais pas raconter ma vie. Après m'avoir écouté, elle étendit le bras et caressa doucement ma joue, d'un geste très calme, très naturel. Il y eut un moment de silence. Mais même son silence était aussi sensuel et entraînant que sa joie, il avait quelque chose qui atténuait la douleur de l'autre, comme la main d'une guérisseuse apaise la blessure sur laquelle elle se pose, du moins était-ce l'impression que j'avais.

Quand le serveur apporta le poisson, elle m'avoua qu'elle ne regardait "que des documentaires", et je compris que c'était ça qu'elle voulait dire par "anthropologie", ce mot qu'elle avait lancé comme une blague, mais qui était sérieux.

— Pourquoi les documentaires ? lui demandai-je.

— C'est très divertissant et très étonnant à la fois. Des milliards d'êtres humains regroupés en douze signes astrologiques, par exemple. Une sagesse millénaire, mais qui décide de classer les différents genres d'hommes en douze signes seulement… Rien que chez les insectes on compte trois cent mille espèces, toutes différentes les unes des autres… Et les poissons… Et tu n'imagines même pas de quoi sont capables les oiseaux… Quant au cosmos, c'est un mystère terrifiant, pense qu'en un seul point de l'univers, un petit point de rien du tout, ils ont découvert dix mille galaxies… C'est excitant, non ?

Son sourire continuait d'illuminer son visage tandis qu'elle parlait, ce sourire tendre et narquois, et à la voir et à l'entendre, on aurait dit que Dieu avait créé l'univers seulement pour divertir madame Hayat, et que ce plaisir suffisait à justifier sa Création.

Puis il fut question de Shakespeare : *to be or not to be.*

— C'est donc ça, dit-elle, le secret de l'homme… Choisir entre la vie et la mort ?

— Je crois que c'est davantage sur l'indécision humaine que la phrase veut insister.

— L'indécision ? Ils sont plutôt très décidés, les humains que je connais.

— Décidés à quel propos ?

— Bien décidés à s'obstiner dans leurs décisions stupides… Regarde des documentaires sur l'histoire et tu verras que c'est toujours la même stupidité qui se répète sans fin.

— Quelles décisions stupides ?

Elle fit comme si elle n'avait pas entendu ma question :

— Allez, mange ton poisson, ça va refroidir… On reprend un raki ?

Je n'avais rien contre. Elle commanda deux rakis au serveur.

Elle était certainement la partenaire la plus charmante qu'un homme puisse souhaiter pour un dîner, sa conversation était brillante, captivante, à sa façon de tout s'approprier avec désinvolture et ironie se mêlait une sorte de timidité, les sujets de discussion dansaient et tournoyaient à notre table tel un essaim de lucioles autour d'une lumière.

De la littérature, elle ignorait à peu près tout. Si elle n'avait jamais entendu parler de Faulkner, de Proust ou d'Henry James, en revanche elle savait que c'était Scipion qui avait vaincu Hannibal, que Jules César portait une cape rouge à la guerre, que des fumerolles jaillies de la croûte terrestre brûlent constamment au milieu des mers, que certaines grenouilles deviennent de verre quand vient l'hiver, pour ressusciter à l'été en se brisant comme une assiette de porcelaine, que les léopards se battent avec les babouins, que les termites transportent chaque soir leurs déchets à l'extérieur de la termitière et que c'est l'origine de nos éboueurs, que les fourmis pratiquent l'agriculture dans leurs villes souterraines, qu'il existe des oiseaux qui savent se servir d'outils, que les dauphins, en eaux peu profondes, frappent le sable de leur queue pour effrayer les poissons qu'ils attrapent ensuite au vol dans leur fuite paniquée, que les lions vivent en moyenne dix ans, que certaines espèces d'araignées s'attaquent aux poissons, que les cicindèles violent leurs femelles, que les étoiles se détruisent les unes les autres en explosant, que l'univers est en constante expansion, et tant d'autres choses de ce genre.

Son esprit paraissait ressembler à ces étranges bazars où à côté de la camelote la plus ordinaire on trouve les antiquités les plus précieuses. Le résultat de toutes ces connaissances qu'elle accumulait, pour autant que je puisse en juger, c'était une indifférence joyeuse à l'égard de la vie, une désinvolture comique et souveraine. Elle parlait de la vie et des hommes d'une façon telle qu'on aurait dit qu'à ses yeux l'existence était une sorte de jouet à trois sous avec lequel on pouvait rire, s'amuser, expérimenter, sans crainte de le casser ni de le perdre.

Je n'avais jamais rencontré quelqu'un comme elle.

Vers la fin du repas, parlant des mantes religieuses, elle dit :

— Pendant qu'ils font l'amour, la femelle arrache la tête du mâle.

Puis, me regardant droit dans les yeux :

— Et même décapité, le mâle continue de baiser la femelle.

Un frisson me parcourut tout le corps. C'était la première fois que j'entendais le verbe "baiser" dans la bouche d'une femme.

À la fin du repas, au moment de partir, je sentis un vertige. Je me levai lentement en m'accrochant à la table, afin qu'elle ne remarque rien.

— Tu habites où ? me demanda-t-elle quand nous fûmes dehors.

— Tout près d'ici.

— Très bien.

Elle arrêta un taxi, m'embrassa furtivement sur la joue, me dit "à bientôt", puis elle monta et la voiture partit. Je repris mon chemin, hagard, le pas lourd.

Le ciel disparaissait dans un sombre brouillard typique des nuits d'automne. Les lumières de la ville se croisaient en se reflétant sur l'asphalte des rues. La lumière de la nuit se diffusait à travers les brumes, vaporeuse et brillante. La blancheur crue et poussiéreuse de la ville éclaboussait les façades noires des immeubles, dont les entrailles endormies cachaient des ateliers de textile clandestins, des fabriques de carton, des entreprises de contrefaçon copiant les marques de luxe, des fabricants d'objets en plastique, ou encore des bureaux de traite humaine maquillés en agences touristiques. Aux étages inférieurs de certains bâtiments, les vitrines de galeries d'exposition fraîchement inaugurées et d'antiquaires vendant des répliques de meubles anciens formaient comme une oasis de lumières. Les rues semblaient figées au milieu du long processus fatal qui les verrait changer d'identité, comme dans une sorte d'opposition sénile.

Je marchais seul dans la nuit, après avoir été invité à dîner puis délaissé faute de plaire, rejeté à la rue, au milieu d'une nuit qui promettait tout et n'avait rien donné. Je ne lui avais pas plu, et le miroir secret dans lequel se reflétait mon image idéale s'était brisé, le moi que je caressais en rêve était en miettes, éparpillé. Je n'étais plus qu'un corps tremblant. Il avait fallu que le miroir se brise pour que je découvre cette image secrète que je me faisais de moi-même, où mon existence tenait tout entière. Et je ne comprenais pas comment un tel miroir, qui était la part la plus précieuse de mon âme, abritant ses pensées et ses sentiments les plus intimes, avait pu si facilement se briser.

Quand, à quel moment m'étais-je décomposé jusqu'à ce point de faiblesse, tel un mûrier qui s'effondre à la première bourrasque ? Où était passée la solide confiance qui aurait dû me protéger de la déception de ne pas plaire à l'autre ? Je m'étais enflammé dès le premier rendez-vous, et pourtant je n'avais rien fait, littéralement rien fait, pour faire vivre la flamme. Je devais ensuite comprendre que personne d'autre mieux qu'elle n'aurait alors pu savoir que précisément, je n'aurais rien pu faire.

Lorsque je lui racontai, plus tard, mes états d'âme de cette nuit-là, elle m'avait répondu d'une voix pleine de remords : "Oh mon Dieu, si seulement j'avais pu imaginer que tu étais aussi fragile." Puis elle avait éclaté d'un rire si sonore que j'avais dû renoncer à croire à son remords.

La stupeur de ne pas lui avoir plu réveillait d'autres chagrins, comme si la corde qui maintenait le ballot de mes peines s'était déchirée d'un coup et qu'elles s'envolaient toutes aux quatre vents : la mort de mon père, le plongeon brutal dans la pauvreté, la solitude, le désespoir, tout m'envahissait comme le poison d'un serpent.

Comme beaucoup d'hommes avant moi, je devais découvrir que la meilleure façon de se protéger d'un malheur qui nous frappe est d'en accumuler d'autres pour les utiliser comme une sorte de bouclier. Mais cela arrive bien plus tard. Le temps m'enseignerait que pour comprendre ce qui nous arrive, il faut une maturité qui me faisait alors défaut, il faut avoir développé une carapace contre laquelle la "vraie vie" se heurte, impuissante.

En arrivant près de chez moi, je croisai un groupe d'hommes inquiétant. Costauds, barbus, armés de

bâtons. J'avais entendu parler d'eux. S'ils ne s'atta-
quaient pas directement aux restaurants, ils attendaient que les clients sortent pour les coincer dans
une ruelle déserte et les bastonner. Il y avait peu, ils
avaient pris d'assaut une exposition de peinture, en
plein jour, frappé les gens et détruit tous les tableaux
aux cris de : "Pas d'alcool chez nous !" Les divertis-
sements de toutes sortes, et quiconque ne leur ressemblait pas, récoltaient leur haine.

J'ai eu peur. La frayeur s'ajoutait à mon chagrin.
Tout, tout le monde me paraissait vouloir mon humiliation, mon malheur. Allongeant ma route, j'arrivai à
la "maison" par des rues de traverse. Je montai directement dans ma chambre, sans passer par la cuisine.

III

Le samedi suivant, comme tous les samedis, j'appelai ma mère d'une cabine téléphonique située à deux rues de chez moi. Si elle essayait toujours de masquer le chagrin qui étranglait sa voix depuis la mort de mon père, elle ne cachait pas le souci que lui donnait son fils :

— Comment ça va ? La santé ? Est-ce que tu manges assez ? C'est tranquille, où tu habites ? Comment se passent les cours ? Tu t'en sors avec l'argent ?

Je lui disais que tout allait bien.

À son ton de voix, je comprenais que la mort de mon père ne l'avait pas laissée indemne, qu'elle l'affectait profondément, dans sa personnalité même. Pour ma part, j'avais encore du mal à réaliser. Ce n'était qu'après les funérailles, dans ce bus de nuit qui me ramenait à mes études, entre le parfum de citronnelle et l'odeur des sièges en plastique, que j'avais brusquement pris conscience que mon père était mort, vraiment mort. "Il est mort", avais-je pensé. Et un frisson de terreur s'était emparé de moi, comme si mon père venait de mourir sous mes yeux, à l'instant, là, englouti dans ce vide mouillé que balayaient fugitivement les phares des voitures qui arrivaient en sens inverse. Je compris que la mort est une fin sans retour, que je ne le reverrais plus jamais, qu'il ne bougerait plus, qu'il ne parlerait plus, jamais, et ma douleur était aussi violente que si l'on m'avait brûlé le visage au fer rouge. L'obstacle qui m'avait jusque-là empêché de regarder la réalité en face venait de fondre subitement sous mes yeux, et la vérité apparaissait, brute, nue, irréfragable. Si mon intelligence, d'un côté, parvenait à concevoir sa mort et sa disparition avec la netteté d'un tranchant de rasoir, ma mémoire, de l'autre, me le rappelait bien vivant, et je le revoyais parler, rire, marcher. Je voyais quelqu'un que je ne reverrais plus jamais, j'entendais une voix qui s'était tue pour toujours. Et ce paradoxe augmentait mon chagrin. Pourquoi s'était-il effondré de tristesse jusqu'à en mourir ? Était-ce la honte de la faillite qu'il n'avait pas pu endurer ? S'en était-il à ce point voulu de ne pas avoir su anticiper l'avenir ? Ces questions demeureraient sans réponse. Je m'endormais chaque soir avec mes interrogations. Au réveil, la mort de mon père avait de nouveau disparu, tapie derrière les lourds rideaux, sa crédibilité pour un temps évanouie.

Ma mère avait recruté un assistant, elle s'était entendue avec deux fleuristes et leur livrait ses fleurs.

— Je fais quelques bénéfices, me disait-elle. Tu as besoin d'argent ?

— Non, maman, j'ai trouvé un petit boulot, je m'en sors bien.

— Mais tu ne négliges pas tes cours, j'espère ?

— Non, non, ma petite maman chérie.

Je ne sais pas pourquoi, mais chaque fois que je raccrochais, une énorme tristesse m'envahissait. C'était sans doute de la savoir aussi malheureuse, si inquiète, et de me sentir impuissant à l'aider.

Ma mère et mon père formaient le couple le plus heureux que j'aie jamais vu, comme s'ils partageaient le secret d'une joie inconnue de tous les autres. Avec moi, je ne pouvais nier qu'ils avaient toujours été tendres et aimants, c'eût été le plus ingrat des mensonges. Je me souviens d'eux, les soirs d'été, comme ils riaient ensemble sur le ponton devant notre villa. Alors je m'avançais, et après un moment de silence quand ils me voyaient arriver, ils m'incluaient dans leur conversation. C'était une sensation étrange, comme s'ils sortaient d'une chambre qu'ils avaient fermé à clef, où ils ne me laissaient pas entrer, pour venir me rejoindre dehors. Je n'entrais pas, et eux sortaient. L'image n'est sans doute pas exacte, mais c'est l'impression que j'en ai gardée. Si je me sentais mis "dehors", je ne m'en souciais pas trop : moi aussi, grâce aux livres, j'avais créé un monde d'où tous les autres étaient exclus, mes parents compris. Ainsi s'établissait un équilibre qui faisait le bonheur de chacun ; nous étions une famille unie, belle, heureuse. Mais on n'apprend pas grand-chose sur l'existence, dans les familles heureuses, je le sais à présent, c'est le malheur qui nous enseigne la vie.

La pluie tombait en crachin. Je marchais au hasard, sans savoir où aller ni quoi faire. J'avais décidé de ne plus voir mes vieux amis, et je n'en avais aucun de nouveau.

Les jours d'été sont durs aux solitaires, voilà ce que j'apprenais.

Tout en marchant, je rêvais de croiser madame Hayat, elle surgirait au coin d'une rue… C'était impossible, je le savais bien, et pourtant je ne pouvais m'empêcher de regarder autour de moi, le cœur chargé d'espoir. Je cherchais une femme dans la ville.

Est-ce que j'aurais fait ça, à l'époque où nous étions riches ? Est-ce que je me serais baladé comme ça à travers les rues, tout seul, rêvant de retrouver une femme que je n'avais vue qu'une seule fois dans ma vie ? La pauvreté m'avait enlevé beaucoup de choses en un rien de temps, c'était bien plus que de l'argent que j'avais perdu. Je ressemblais à un bébé tortue à qui on a retiré sa carapace : vulnérable, désorienté, privé de toute protection. Je ressentais le moindre coup de vent, de chaleur, de froid, les rugosités de la plus petite pierre, la douceur de l'herbe même, comme une secousse ébranlant tout mon corps, un changement radical qui me bouleversait l'âme, et au moindre changement, je tremblais comme une feuille. Jamais je n'aurais imaginé que ma vieille carapace, si épaisse et si chaude, aurait pu être à ce point fracassée. Et de me découvrir être si peu de chose, une fois l'argent retiré, cela me faisait honte.

Je décidai d'aller faire un tour dans le passage des bouquinistes. L'endroit était toujours bondé, j'aimais venir m'y mêler à la foule. Mais contrairement à mes attentes, le vieux passage, plongé dans la pénombre et baignant dans son odeur de pierre, de poussière et de vieux papier, cette fois était désert. Il n'y avait que trois ou quatre clients, en plus de moi-même, qui flânaient entre les boutiques. Certaines d'ailleurs étaient fermées, on avait recouvert les vitrines de papier journal. Le passage semblait moribond, comme un vieillard à l'agonie.

— Qu'est-ce qu'il se passe ici ? demandai-je à l'un des bouquinistes.

Il me répondit avec un haussement d'épaules :

— Plus personne ne vient… De toute façon ils vont bientôt démolir.

Les hommes délaissaient les livres. Une possibilité que je n'avais jamais envisagée. Les amoureux des livres avaient toujours existé, ils avaient maintenant disparu.

J'entrai dans une des boutiques. Le propriétaire, un vieil homme, lisait ; il releva la tête pour me jeter un coup d'œil, puis il replongea dans sa lecture sans dire un mot. Dans une niche au milieu des volumes qui s'empilaient jusqu'au plafond dans le plus grand chaos, je remarquai une photographie finement encadrée, au verre terni par le temps. C'était une reproduction de *Trois fermiers s'en vont au bal* d'August Sander. Sur les visages de ces paysans en habit du dimanche, on lisait l'excitation de ceux qui se préparent à goûter un plaisir rare, plaisir dont ils transmettaient au spectateur, par leur mine d'un sérieux presque excessif, toute la gravité de l'émotion.

— Combien ? demandai-je au marchand en montrant la photo du doigt.

Le ton de ma voix semblait trahir l'homme pris d'un élan de générosité enthousiaste, prêt à dépenser toute sa fortune pour une seule image. Et il n'était pas difficile non plus de deviner que ladite "fortune" était loin d'en être une.

L'homme releva la tête et me regarda d'un air réfléchi. Il m'observait en silence. Il me semblait voir dans ses yeux le temps s'écouler à l'envers, sans hâte, comme si les années qui passaient gagnaient avec lenteur un refuge situé dans le passé, rejoignant toutes une par une et sans faute l'antique lieu d'un grand amour, d'une amitié solide peut-être.

— Elle est à toi, dit-il.

Trop surpris pour comprendre, je reposai ma question sans me rendre compte que c'était grossier.

— Combien ?

Il répéta sa phrase de la même voix posée :

— Elle est à toi.

Puis il se leva, décrocha le cadre, l'emballa dans un épais papier marron et me tendit la photo. J'étais confus, j'étais honteux, j'étais heureux. Ce n'était pas tant de posséder la photo désirée qui me rendait heureux, plutôt la générosité supérieure, discrète et silencieuse, de l'homme qui me l'offrait. C'était cette amitié profonde que taisait son visage.

Je sortis de la boutique plein de joie. Mon état d'esprit avait changé d'un coup, une sorte de paix bienfaisante se répandait en moi. J'achetai une demi-miche de pain et du fromage et rentrai à l'auberge. À peine arrivé dans ma chambre, je déballai la photo et la posai sur la commode au chevet du lit, son cadre appuyé contre le mur. La pièce en était transformée. La photo avait suffi à la métamorphoser. J'étais enfin chez moi.

Je descendis dans la cuisine pour prendre mon "dîner". Il y avait foule autour de la grande table : on regardait un match à la télé. Il y avait longtemps que je n'avais pas suivi une partie, et pourtant j'aimais le football. Même cela, je l'avais oublié. Je me fis un thé puis m'assis avec les autres pour regarder le match. Gülsüm était parmi les spectateurs ; à voir sa jupe fendue et la tonne de maquillage sur son visage, on comprenait qu'il s'apprêtait à partir "travailler". À la première action, il s'écria :

— Héé ! Faute là ! Bien sûr qu'il y a faute !

Je le regardai d'un air étonné, mais j'étais bien le seul : les autres semblaient habitués à ses commentaires.

— S'ils changent pas l'arrière droit, le match est perdu, dit-il un peu plus tard.

Juste après qu'il l'ait dit, l'entraîneur fit un remplacement : l'arrière droit sortit.

— Il faut qu'ils te nomment directeur technique, Gülsüm, lança quelqu'un au bout de la table.

— Je vais tellement te motiver l'équipe, ils ont pas fini de courir, les petits chéris, répondit l'intéressé, et tout le monde se mit à rire.

Je mordis dans mon sandwich en baissant la tête.

J'étais remonté dans ma chambre sans attendre la fin du match. J'avais encore une émission de télé, ce soir-là. L'idée de revoir madame Hayat me mettait dans tous mes états, je songeais à ce qu'il faudrait dire et faire si nous retournions dîner ensemble, je préparais mes répliques. Hors de question de me comporter comme un benêt, cette fois.

Les rues étaient déjà bondées quand je sortis. Je marchai jusqu'au studio de télévision ; en bas des quatre étages, je retrouvai l'obscurité lumineuse.

Madame Hayat n'était pas là. Elle ne viendrait pas ce soir. Je croyais pourtant qu'elle passait ici toutes ses soirées, et même si on m'avait dit le contraire, j'y aurais encore cru. Je me sentais trahi, trompé, humilié. C'était une sensation absurde, je le savais, mais je n'avais pas assez de force pour m'empêcher d'y céder, comme si les émotions qui m'agitaient le cœur étaient un troupeau de chevaux sauvages lâchés au grand galop, qui couraient loin de moi, hors de tout contrôle, et qui plus est, changeant de direction à chaque instant.

Moulées dans des robes qui soulignaient leurs rondeurs, des femmes chantaient en se trémoussant avec des moues lascives et invitantes. Certaines s'étaient déchaussées pour pouvoir bouger avec plus d'aisance sur scène. Je découvris que la vue d'une femme en train de danser pieds nus déclenchait en moi des pensées à forte connotation sexuelle.

De temps en temps, un clarinettiste de petite taille, portant lunettes noires et un chapeau en feutre qui laissait dépasser une queue de cheval rabattue sur sa nuque, s'approchait des chanteuses pour jouer tout contre elles. Il était si petit que sa clarinette paraissait presque plus grande que lui. Sa chemise rose pendouillait par-dessus son pantalon.

Je profitai d'une pause dans le tournage pour sortir du plateau, accompagné de plusieurs autres spectateurs. On avait installé un petit buffet au bout du couloir. Je pris un sandwich et un thé, puis m'installai sur une des chaises en plastique qui bordaient la table. Deux femmes étaient assises à côté de moi, jupes serrées, maquillées comme des camions volés. Leurs chemisiers sans manches, très cintrés, leur collaient littéralement au corps. Elles continuaient de papoter entre elles comme si je n'étais pas là. La première demandait à l'autre :

— Qui décide des gens qui ont le droit d'être sur le podium ? Les caméras n'en ont que pour eux !

Sa voisine lui répondit en riant :

— Faut faire les yeux doux à l'assistant du réalisateur, c'est lui qui attribue les places.

— Alors montre-moi où est cet assistant, je vais aller lui parler, moi…

Elle ne doutait pas d'elle, la fille.

Leur conversation me mettait mal à l'aise, en même temps qu'elle m'énervait : j'avais le sentiment qu'elles se moquaient de madame Hayat. Ces femmes-là ne ressemblaient à aucune de celles que je connaissais dans les livres. Leur vulgarité pourtant m'excitait, je m'en aperçus soudain, non sans une espèce d'inquiétude qui me fit aussitôt quitter ma chaise et retourner dans la salle.

L'enregistrement terminé, j'étais le premier dehors. Je marchais seul dans les rues, tremblant un peu de croiser les types aux bâtons, mais ils ne se montrèrent pas, il était sans doute trop tôt. Arrivé dans ma rue, je dus me frayer un chemin parmi la foule au coude à coude, encore pressé par la crainte d'y croiser de vieux amis à moi. Les gens étaient jeunes pour la plupart. Les filles sentaient bon, même dans l'épaisse odeur de la rue on repérait immédiatement leurs parfums.

J'étais de nouveau dans ma chambre. Les trois fermiers aussi. Je les avais oubliés. Eux allaient au bal, dans leurs costumes sombres. J'ouvris la porte du balcon et regardai dehors. La foule paraissait moins importante que d'ordinaire, et pourtant c'était le week-end.

Le lendemain, madame Hayat était encore absente.

L'émission commençait. L'éclairage s'éteignit, les spots s'allumèrent, les faisceaux violets, bleus, mauves se mirent à danser à l'arrière de la scène. Tandis que les premières chanteuses commençaient leur show, j'entendis une porte s'ouvrir derrière moi, quelqu'un entrait, je sentis qu'on s'asseyait discrètement à l'autre bout de ma table. C'était une jeune fille. Elle regardait la scène devant elle, je ne distinguais que son profil. Elle se tenait droite, au bord de la chaise, parfaitement immobile, sans effleurer le dossier ni applaudir avec les autres.

À la pause, quand les lumières se rallumèrent, nos regards se croisèrent, je la vis enfin. Son visage était noble. C'était la première pensée qui venait à l'esprit quand on le voyait : ce visage est noble. Ciselé avec soin dans le marbre le plus lisse par un sculpteur génial, un nez droit et fin, aux ailes douces et rondes. Des sourcils fournis qui s'affinaient aux extrémités. Des yeux légèrement bombés sous d'épais cils. Deux pupilles sombres, au regard droit, préoccupé de choses qui ignoraient superbement votre existence, et vous ignorant de même. Un menton large et brillant. Une longue crinière brune qui cascadait jusqu'aux épaules en boucles étincelantes. Des lèvres qu'on eût dites voluptueuses, mais qui, comme pour contredire cette sensualité naturelle, demeuraient pincées dans le plus grand sérieux. Tout son visage enfin semblait vous regarder de haut, vous juger, vous rendre insignifiant.

Le contraste entre le visage de cette fille et le décor qui l'entourait était si improbable et si déconcertant que j'eus un instant l'impression d'avoir glissé, par une déchirure ouverte au cœur de la réalité, dans le monde merveilleux des rêves. Ce visage n'avait rien à faire ici. Mais il était bel et bien là. Tombé d'on ne sait où.

— Il y a un buffet avec des sandwiches et du thé, lui dis-je. Je vais m'en chercher, tu en veux aussi ?

— Les sandwiches sont bons ?

— Très.

— On est obligé de sortir pour manger, ou on peut rester ici ?

Elle n'avait manifestement pas envie de se mêler aux autres spectateurs dans le couloir. À vrai dire j'ignorais le règlement, mais je lui répondis que oui, "on peut manger dans la salle".

— Dans ce cas oui, fit-elle.

Je sortis dans le couloir. Un vacarme infernal. Une foule bigarrée, des figures étranges, certaines en robes de soirées, d'autres en chemises aux imprimés criards. La plupart des hommes étaient vieux, les cheveux soigneusement peignés, ils portaient des cravates insensées, du plus mauvais goût, et jetaient sur les femmes des regards débauchés. Les deux femmes de la veille avaient coincé l'assistant du réalisateur dans un coin. Il souriait, plein d'impudence, tandis que les deux femmes le serraient de près, l'une d'elles malaxant à petits gestes le col de sa chemise qu'elle tenait entre deux doigts tout en lui parlant. Je détournai les yeux.

Je posai les deux sandwiches et les deux thés sur un plateau en plastique pour les rapporter dans la salle. La fille était toujours là, telle que je l'avais laissée, comme si en mon absence elle n'avait pas bougé d'un cheveu, ni même respiré.

— Merci, me dit-elle en prenant son sandwich, et c'était le même "merci" dont elle devait chez elle gratifier le petit personnel.

— Tu es étudiante ? lui demandai-je.

— Oui.

— Qu'est-ce que tu étudies ?

Elle répondit d'un ton neutre et sans envie :

— Littérature.

— Moi aussi ! m'écriai-je enthousiaste.

Elle me jeta un regard suspicieux. Puis elle mordit dans son sandwich avec élégance, et réfléchit un instant en regardant devant elle.

— Si parmi toute la littérature mondiale, tu devais choisir quinze pages, les quinze pages dont tu aurais le plus aimé être l'auteur, lesquelles tu choisirais ?

Je compris aussitôt que c'était une sorte de test comme celui du dessin du chapeau dans *Le Petit*

Prince : si je donne la bonne réponse, je deviens son ami, si je donne la mauvaise, elle m'oublie dans la seconde. J'essayais de deviner quelle réponse pourrait lui plaire, puis me rendant compte que je n'y arriverais pas, je finis par répondre sincèrement.

— Celles de "Le temps passe" dans *La Promenade au phare.*

La moue stupéfaite de la fille se changea bientôt en un large sourire.

— Bon choix, dit-elle.

À ce moment-là, le public revint dans la salle, les lampes s'éteignirent, les spots se rallumèrent.

— Comment tu t'appelles ? lui demandai-je en chuchotant.

— Sıla, dit-elle. Et toi ?

— Fazıl.

— Très bien.

Nous regardions de nouveau la scène. Les deux femmes de tout à l'heure étaient maintenant sur le podium.

L'émission achevée, nous sortîmes ensemble sans échanger un mot.

— Tu vas où maintenant ? lui demandai-je.

— Mon bus passe ici, mais on peut marcher encore un peu, je le prendrai au prochain arrêt.

Elle me parla d'elle. *La Promenade au phare* lui avait plu, ça m'avait sauvé : elle s'était résolue à ne pas me ranger parmi ces "autres" dont elle prononçait le nom avec un dégoût appuyé.

— La police est venue chez nous en pleine nuit, dit-elle.

Son père était le patron d'une holding importante, ils habitaient dans une villa entourée d'un bocage.

— Les arbres sont très beaux.

L'un des actionnaires minoritaires de l'entreprise de son père, qui détenait à peine deux à trois pour cent du capital, avait été arrêté pour "préparation d'un complot contre le gouvernement". Ils s'étaient servis de lui comme prétexte pour saisir toutes les entreprises du père.

— C'est possible de faire ça ? lui demandai-je.

— Aujourd'hui oui, c'est possible.

Il y eut un moment de silence, nous marchions toujours.

— Ils ont fouillé notre maison pendant quatre heures, puis ils nous ont dit qu'on devait partir sans délai. Une valise chacun, c'est tout ce qu'ils nous ont autorisé à emporter. Ils nous ont chassés de chez nous en pleine nuit. En sortant ils ont encore fouillé la valise de ma mère et mon sac. Ils ont pris nos cartes de crédit, ce qui n'avait d'ailleurs plus d'importance puisqu'ils avaient déjà saisi tout notre argent à la banque.

Elle parlait avec douceur et calme, laissant parfois de longs silences au milieu de ses phrases. Ses paroles coulaient lentement, sans agitation, comme un fleuve au large cours, maintenant l'auditeur en haleine par une puissance étonnante, et la pure absence d'émotion qui émanait de sa conversation ne faisait qu'alimenter le trouble de celui qui l'écoutait. Cela venait aussi de sa beauté, et de sa voix étrangère au monde, issue de profondeurs mystérieuses, aux ondulations évoquant des courants sous-marins, qui diffusait dans chacun de ses mots un inexplicable et impalpable parfum d'intelligence.

Elle parlait sans rien laisser transparaître de ses sentiments, dans une sorte de détachement solitaire qui vous donnait l'impression qu'elle n'appartenait pas au reste de l'espèce humaine.

— Nous avons quitté la maison en pleine nuit, juste avec une valise. Mon père a essayé de s'opposer, mais les policiers lui ont dit : n'en rajoute pas, sinon on vous coffre tous. Ils lui ont interdit d'appeler ses avocats. Ils ont même confisqué son téléphone et celui de ma mère, mais ils m'ont laissé le mien… Il y a un petit parc près de chez nous, c'est là que nous nous sommes réfugiés.

Elle se tut un long moment.

— Je n'oublierai jamais cette nuit dans le parc, nous trois assis sous un arbre avec notre valise… Le matin même nous étions riches, au dîner encore nous étions riches, et la nuit nous étions des vagabonds misérables, sans argent et sans toit.

Elle rit.

— Comme Cendrillon, à minuit toute notre vie s'était changée en citrouille.

Puis, à nouveau sérieuse :

— Nous ne savions pas où aller, où seulement passer la nuit. Allons chez des amis, a dit ma mère, ils nous hébergeront pour la nuit, et mon père lui a répondu : non, ils ont trop peur de nous avoir chez eux, ne les obligeons pas à nous fermer leur porte. C'était mon père qui avait raison, nous le savions, et de fait, personne ne nous a tendu la main… Les riches sont des trouillards, tu sais, et plus ils sont riches, plus ils ont peur. Mais il faut tomber dans la pauvreté pour s'en rendre compte, quand on est riche cette peur-là paraît absolument naturelle…

Elle s'arrêta, murmura "les trouillards", puis elle reprit :

— Mon père a un cousin, Hakan, à qui il avait offert un petit deux-pièces quand il était assistant à l'université… Comme il avait reçu une bourse pour aller étudier au Canada pendant un an, il m'avait laissé la clef de son studio avant de partir. Envoie quelqu'un faire le ménage, il m'avait alors dit, et tu pourras t'installer là pour travailler tes leçons avec tes amis.

"Un appartement pour travailler avec des amis", me répétais-je, imaginant assez bien de quel genre de leçons il pouvait s'agir, mais évidemment je ne dis rien.

— J'ai la clef de chez Hakan, j'ai dit à mes parents, allons dormir là-bas. Qu'est-ce qu'il te veut Hakan avec cette clef ? a répondu mon père. La mentalité paternelle typique… Écoute Muammer, je crois que ce n'est vraiment pas le problème pour l'instant, lui a rétorqué ma mère. D'autant plus qu'il commençait à pleuvoir. Nous sommes allés chez Hakan. Même notre salle de bains était plus grande que son appartement. Il y a deux chambres, mais pas de porte. On s'est installés. Et on y est encore… Le lendemain, mon père a contacté l'un de ses avocats pour lui demander de faire immédiatement un recours contre la saisie de nos biens. Le type a rappelé mon père le soir, pour dire que le juge avait refusé la demande sans même jeter un œil au dossier, et que s'il était mon père il ne s'entêterait pas, il fallait déjà prier pour qu'il ne soit pas arrêté… Mon père a certainement de l'argent placé à l'étranger, mais comme ils ont saisi aussi nos passeports, impossible de quitter le territoire… Pendant des jours, mon père a cherché du travail… Il a bien trouvé un poste de comptable dans une petite boîte ou deux, mais ils l'ont renvoyé chaque fois, au bout de deux jours, sans explications.

— Et que fait-il maintenant ? demandai-je.

— Il s'occupe des factures de grossistes en fruits et légumes, ça rapporte un peu d'argent, et puis il y a les cagettes d'invendus…

Elle éclata d'un rire moqueur, comme pour se venger de toutes ces humiliations.

— Ma mère est devenue experte pour trier les fruits pourris de ceux encore mangeables…

— Et pour la fac, comment tu t'en sors ?

Elle m'avait dit qu'elle était inscrite dans une université très chère et très prestigieuse, rivale de la nôtre.

— Mon père avait déjà réglé les frais de cette année, ça me laisse un an de répit… Ensuite, si je reste, je voudrais demander une bourse.

— Tu penses à partir ?

— J'essaie d'abord de récupérer mon passeport. S'ils me le rendent, j'irai au Canada retrouver Hakan.

— Avec tes parents ?

— C'est eux qui veulent que je parte. S'ils peuvent, ils me rejoindront, oui. Mais ça les rassurera déjà de me savoir là-bas, et puis c'est pénible de vivre à trois dans un si petit appartement.

— Et comment tu as trouvé ce boulot, avec la télé ? lui demandai-je encore.

Quelqu'un de la fac lui en avait parlé, elle ne se souvenait plus qui, et l'avait dirigée vers la même agence de figuration que moi.

— Je crois que j'ai reconnu la femme d'un des vieux amis de mon père dans le public, mais je ne suis pas sûre, dit-elle.

Elle m'interrogea à son tour :

— Et toi, comment tu as atterri là ?

Je lui racontai mon histoire.

— Il faut croire qu'on s'est rencontré en exil, commenta-t-elle ensuite.

— Oui, les exilés se rencontrent.

C'était ma phrase, mais à vrai dire, je nous imaginais plutôt comme deux bébés tortues à qui on avait arraché leur carapace, deux bébés tortues qui se serrent l'un contre l'autre pour se donner un peu de chaleur. Si nous avions encore eu nos carapaces, nous nous serions heurtés, elles nous auraient empêchés de nous rapprocher l'un de l'autre, jamais nous n'aurions pu nous raconter nos malheurs respectifs aussi vite. Nous avions été élevés dans le mépris de ces récits-là, car notre identité était inscrite sur nous, gravée dans la carapace, et celle-ci fermement arrimée, aucun courant d'air ne filtrait, on ne s'épanchait pas avec autant de facilité.

Après avoir encore marché, elle se sentit fatigué.

— Je vais prendre le bus ici, dit-elle.

Nous attendions ensemble à l'arrêt. Elle se taisait. Comme concentrée sur une seule pensée. Puis elle prit une décision soudaine :

— Tiens, je te donne mon numéro, enregistre-le dans ton portable et on s'appelle.

— Je n'ai pas de portable.

À cet instant, elle me regarda d'un air suspicieux, comme si elle croyait que j'inventais une excuse pour ne pas lui donner mon numéro.

— Je l'ai vendu, expliquai-je piteusement, je l'ai vendu avec toutes mes autres affaires. Mais dicte moi ton numéro, je t'appellerai d'une cabine, ajoutai-je tout aussi piteusement.

— Tu réussiras à t'en souvenir ?

— Oui.

Elle me donna son numéro. Tout ça grâce à *La Promenade au phare*.

— Quand est-ce que je peux t'appeler ?

— Quand tu veux, répondit-elle.

Le bus arriva. Elle monta. Elle était partie.

C'était dimanche, les rues autour de l'immeuble de la télévision étaient désertes. Il n'y avait littéralement personne. Je rentrai chez moi à pied. Dans la cuisine, je tombai sur le videur au débardeur noir, celui qu'on appelait "Bodyguard".

— Tu as faim ? demanda-t-il.

— Qu'est-ce que tu prépares ?

— Des œufs au plat au hachis, j'avais faim.

— Vraiment ? Rien d'autre ?

— Non… J'ai faim, je t'ai dit…

— Et ces trucs à l'ananas que tu cuisines, tu les manges aussi ?

— Non, dit-il en riant.

— Va pour les œufs et le hachis.

Il posa sur la table un plat en cuivre avec les œufs et la viande hachée grillée, puis il prit une grosse miche de pain qu'il rompit en deux avec les mains et m'en tendit la moitié. On commença à manger.

— Tu devrais toujours cuisiner comme ça, dis-je, c'est délicieux. C'est les meilleurs œufs au plat au hachis que j'ai mangés de ma vie.

— J'aimerais ouvrir un petit local, mais pour une clientèle chic… Un endroit où on mangerait des choses qu'on ne mange nulle part ailleurs.

Après avoir fini les œufs et la viande, nous saucions encore le fond du plat avec du pain. De me voir manger avec autant d'appétit le mettait de bonne humeur.

— Je vais faire du café, dit-il, ça fait toujours du bien après un bon repas.

Tandis que nous buvions notre café, Tevhide arriva dans la cuisine avec son père, ce dont Bodyguard semblait visiblement se réjouir autant que moi. Il se leva d'un bond en demandant à la petite fille :

— Tu as faim Tevhide ? Tu veux que je te fasse des œufs au plat au hachis ?

La gamine parlait avec tous les habitants de l'auberge, elle leur posait des questions, elle gagnait leur amitié. Et tous ceux qui avaient la chance de savoir cuisiner avaient l'habitude de partager leur repas avec Tevhide et son père Emir. Celui-ci acceptait l'offrande, mais c'était pour reverser le contenu de son assiette dans celle de sa fille ; il ne mangeait pas. Chaque fois que sa fille mangeait devant lui, je voyais une minuscule veine mauve se mettre à palpiter sous son œil gauche, de honte et de désarroi. Il avait dans les trente ans, et quelle que pût être sa situation actuelle, un visage qu'on aurait dit aristocratique, une façon de parler sobre, élégante, qui attestait d'une bonne éducation. Quant à sa fille, elle se comportait comme si c'était elle l'adulte, et répondait avec le plus grand sérieux à chaque question qu'on lui posait.

Elle ne cadrait vraiment pas avec cet endroit, ce milieu. Quelqu'un l'avait arrachée à son décor d'origine, le seul qui aurait pu nous dire qui elle était vraiment, pour la poser ici, comme une chose exotique dans un décor pour elle exotique. Ainsi que beaucoup d'entre nous, elle avait perdu son passé, et elle errait tel un fantôme dans les brumes du présent.

— C'est quoi des œufs au hachis ? demanda Tevhide.

Dès qu'elle entendait une expression nouvelle, elle demandait sa signification, et on pouvait être certain de la retrouver dans une de ses phrases deux jours plus tard. Pour un enfant de son âge, elle avait un vocabulaire d'une richesse inouïe.

— Non, je veux du lait, dit la petite.

Tout le monde eut un sourire ; c'était l'effet que provoquait toujours sur nous sa façon bien à elle, ferme et décidée, de dire ce qu'elle voulait ou ne voulait pas.

— Tu n'as pas dit merci, lui dit Emir.

Tevhide se tourna vers Bodyguard et lui dit : "Je te remercie", pendant qu'Emir allait chercher dans le frigidaire la bouteille de lait marquée au nom de sa fille. Nous restâmes un moment sans parler, puis je finis par interrompre le silence qui s'installait en demandant à Bodyguard comment allaient les affaires.

— L'ambiance est de plus en plus pourrie, dit-il, tout ça à cause de ces salopards de barbus qui foutent la trouille aux clients.

— Et la police ne fait rien ?

Il regarda autour de lui comme s'il voulait s'assurer que nous étions bien seuls, puis il me dit à voix basse :

— Ils sont intouchables, ces types-là.

Emir était mal à l'aise qu'on aborde ce genre de sujets devant sa fille, il nous souhaita bonne nuit à tous et sortit de la cuisine avec elle. Je les suivis peu après. Les trois fermiers partaient toujours au bal. Je m'endormis comme une pierre. Dans mon rêve, je vis madame Hayat dans sa robe couleur de miel. Elle dansait, son regard planté dans le mien.

IV

— *L'Éducation sentimentale* et *Daisy Miller* ont été écrits à la même époque. Le roman de Flaubert est paru en 1869, celui d'Henry James neuf ans plus tard, en 1878. Et je crois qu'on peut dire que leur célébrité à tous les deux est largement usurpée.

Une rumeur parcourut l'amphithéâtre. Si madame Nermin se permettait de lancer ce genre d'assertions provocatrices sur la littérature, que personne d'autre qu'elle n'eût osé formuler avec autant d'aplomb, c'était en partie parce qu'elle s'adressait à l'une des classes les plus nombreuses de l'université, la sienne. Avec son jeans noir moulant, ses bottines rouges et sa chemise blanche aux manches remontées, elle transformait l'espace de l'université en une sorte d'arène où l'académisme était ouvertement défié. Elle avait un visage étroit sur lequel saillaient deux yeux immenses, des cheveux noirs en bataille, drus comme un buisson d'épines. Elle tenait à la main les lunettes qu'elle ne mettait que pour lire et dont elle passait son temps à faire cliqueter les branches entre ses doigts. Dès le premier cours, elle avait annoncé la couleur : "La littérature ne s'apprend pas. Je ne vous enseignerai donc pas la littérature. Je vous enseignerai plutôt quelque chose sans quoi la littérature n'existe pas : le courage, le courage littéraire. Ne vous contentez pas de répéter ce que d'autres ont déjà dit. Ce n'est pas ainsi qu'on travaille. Soyez courageux. La littérature a besoin du courage, et c'est le courage qui distingue les grands écrivains des autres. Voilà ce que vous apprendrez dans cette classe : le courage littéraire."

Et elle avait vraiment fait ce qu'elle avait annoncé ; à chaque cours elle renversait les catégories établies, les idées reçues, les leçons apprises par cœur.

— Maintenant, voyons comment la question de la liberté est traitée dans ces deux livres. Dans l'un et l'autre, on rencontre des personnages de femmes libres… Dans *L'Éducation sentimentale*, les femmes sont libres parce qu'elles vivent leur existence selon leur désir, quant à *Daisy Miller*, il fonde une typologie de la femme libre en bonne et due forme. Ce qui nous intéresse alors ici, c'est la manière dont chacun des deux décrit cette liberté existentielle, et ainsi la différence qui se dégage entre deux visions de la liberté. Les femmes de *L'Éducation sentimentale* vivent dans un milieu saturé de règles et d'interdits : c'est en contournant ces interdits, en les manipulant, enfin en s'aménageant des passages secrets et parfois scandaleux au milieu des interdits, bien plus qu'en s'opposant ouvertement à eux, que ces femmes parviennent à mener une existence qu'on pourrait qualifier de libre. Dans *Daisy Miller*, à l'inverse, c'est en se révoltant frontalement contre le système des interdits que les femmes s'émancipent et deviennent libres… Nous voyons ainsi apparaître la différence entre une liberté qu'on gagne en se pliant aux règles, d'un côté, et une liberté obtenue à force de les défier.

Il me semblait que le vrai courage, ici, c'était d'oser critiquer le livre de Flaubert, tant le monde et les personnages qu'il avait créés, leurs idées, leurs sentiments, leurs intuitions, étaient pour moi un sujet d'éblouissement permanent et indépassable, au point que j'aurais aimé vivre dans ce monde-là, dans un roman de Flaubert. J'y étais comme chez moi. Mon grand rêve eût été de passer ma vie dans la littérature, à en débattre, à l'enseigner, au milieu d'autres passionnés, ce dont je me rendais toujours un peu plus compte à la fin de chaque cours de madame Nermin. La littérature était plus réelle et plus passionnante que la vie. Elle n'était pas plus sûre, sans doute même plus dangereuse, et si certaines biographies d'auteurs m'avaient appris que l'écriture est une maladie qui entame parfois sérieusement l'existence, la littérature continuait de me paraître plus honnête que celle-là. "La littérature est un télescope braqué sur les immensités de l'âme humaine", avait dit notre professeur d'histoire littéraire, monsieur Kaan. Et je le réentendais ajouter de sa voix caverneuse : "À travers ce télescope, vous voyez de l'homme les scintillantes étoiles aussi bien que les trous noirs."

Grâce aux livres j'avais appris à examiner ainsi tous les êtres qui croisaient ma route, à commencer évidemment par moi-même. Je savais désormais que l'âme humaine n'est pas un tout, lisse et cohérent ; c'est un agrégat de morceaux dépareillés qui se soudent progressivement les uns aux autres. Et, à l'évidence, ces "jointures" ne sont jamais imperméables… En même temps que je méditais ainsi, je voyais que je m'éloignais à grands pas de mes camarades de classe, je fuyais par peur qu'ils découvrent et me fassent sentir que j'étais désormais misérable, et si absurde que fût ma hantise, je faisais tout mon possible pour leur dissimuler la vérité. Je craignais d'être moqué, humilié, et cette crainte, je m'en apercevais alors, ne faisait que m'enfoncer dans le désarroi. Je savais pourtant qu'avouer franchement, dire la vérité au grand jour, me rendrait plus fort, plus respectable, mais rien n'y faisait, je continuais de presser le pas. Ce point faible était l'une de ces jointures dont j'ai parlé, de celles qui ne se laissent pas facilement colmater. J'avais honte d'être pauvre et j'avais honte de mentir sur ma pauvreté.

D'un autre côté, les paroles de madame Nermin faisaient leur chemin dans mon esprit. Je m'aperçus que je n'avais jamais réfléchi à la question de la liberté. "Suis-je libre ?", me demandai-je tout à coup. La question semblait surgir sous mes yeux tel un panneau publicitaire géant au coin d'une rue. J'étais pris par surprise. La question était-elle si effrayante ? "Suis-je libre ?" C'était la réponse, plus que la question, qui m'effrayait : "Non, je ne suis pas libre." Une autre question, plus cruelle encore, se posait alors : "Serai-je jamais libre ?"

Chacune de ces interrogations me faisait comprendre que je n'étais moi-même qu'un minuscule élément à l'intérieur de ma propre existence, un élément qui ne suffisait pas à la remplir, et n'allait nulle part. J'étais ballotté au gré des événements, indépendamment de ma volonté. Et la force me manquait pour diriger le cours de ma vie, soit qu'il s'agisse de plier, soit qu'il faille se révolter. Je n'étais rien, mon existence n'avait aucun poids.

Comment se faisait-il que cette vérité ne m'ait encore jamais traversé l'esprit ? Comment était-ce possible que j'aie vécu jusque-là sans me poser ces questions ? Et si madame Nermin avait parlé ainsi de la liberté un an plus tôt, l'aurais-je écouté ? Aurais-je été ébranlé comme je l'étais, ou bien l'argent que j'avais alors m'aurait-il préservé ? Est-ce que tous les autres hommes se posent ces questions-là, ou bien fallait-il avoir sombré comme moi dans un abîme qui paraissait sans fond pour enfin se les poser ? Ne comprend-on le sens de la liberté que lorsqu'on a touché le fond ? Et que faire maintenant ? Qu'allais-je faire ? Comment pourrais-je vivre à présent que j'avais découvert la vérité de mon impuissance existentielle ?

Quelque chose avait changé en moi, mes sentiments anciens s'effaçaient, d'autres prenaient leur place, au gré de ces pensées dont l'enjeu réel m'échappait encore. Je découvrais des questions dont les réponses me plongeaient dans un océan d'effroi.

Ce soir-là, j'étais de figuration à la télé. Madame Hayat était là. D'où j'étais assis je pouvais entrevoir ses longs cheveux roux, la tendresse moqueuse de son sourire. Elle portait sa robe couleur de miel. Sous la lumière des spots, elle semblait entourée d'un halo d'or qui s'embrase. Peu après l'extinction des feux, Sıla arriva à son tour. Elle m'avait aperçu, elle me sourit en s'asseyant.

La scène était occupée par une chanteuse vêtue d'une robe bariolée, rouge et verte, sur laquelle une ligne de lamelles scintillantes de la largeur d'une main traçait un V qui descendait de ses épaules jusqu'à l'aine. C'était comme une flèche indiquant sa cible.

À un moment, la caméra nous filma, Sıla et moi, nos visages apparurent sur l'écran géant. Je ressentis une étrange culpabilité. Je n'avais rien fait de mal, commis aucune faute, j'étais vierge de tout péché, et pourtant je me sentais coupable.

Le tournage s'acheva sans qu'il y eût de pause. Le public avait déjà commencé à quitter la salle, je ne bougeais pas. Sıla s'était levée, elle attendait que je me lève à mon tour. Je me levai. Nous sortîmes côte à côte. Les gens remontaient vers l'escalier en file inin-terrompue. Ils passaient en revue le programme du soir, qui était passé à l'écran, qui avait dansé comment, qui avait la pire robe de la soirée, qui avait fait des gestes stupides pour attirer l'attention du caméraman.

Sıla m'observait avec une espèce d'impatience. À cet instant, j'entendis qu'on prononçait mon nom derrière moi. Je me retournai. Madame Hayat tra-versait la foule droit vers nous. Sıla la regarda un instant, puis elle me regarda. Madame Hayat était maintenant à notre hauteur.

— Bon, moi j'y vais, dit Sıla.

Je restai muet. L'espace d'une seconde, une très courte seconde, nous fûmes tous les trois face à face, pétrifiés. Je pouvais sentir l'odeur rance des vieux tapis monter vers nous. La rumeur des gens qui nous encerclaient bourdonnait dans mes oreilles. Madame Hayat me regardait, moi je détournais le regard, Sıla nous tourna le dos, elle partit sans dire un mot. Je la regardai s'éloigner, en proie à un sen-timent qui ressemblait à la honte et à la peine, mais je ne fis pas un geste pour la rattraper.

— Comment vas-tu ? demanda madame Hayat.

— Très bien, et vous ?

— Si tu n'as rien de prévu, attends-moi une se-conde et on va dîner tous les deux.

— Je vous attends.

— Je me change et j'arrive.

Je m'assis sur une chaise en plastique en l'attendant. Elle n'avait posé aucune question sur Sıla. Or j'étais sûr qu'elle nous avait vus tous les deux sur l'écran. Elle l'a toujours nié. Et elle ne m'a jamais menti. Lorsque je l'interrogeais sur certains faits dont la vérité pourrait me blesser, sa voix devenait lointaine, son regard de plus en plus glacé, et face à ces signaux m'avertissant qu'elle allait "dire le vrai", je faisais tantôt marche arrière, tantôt m'obstinais dans mes questions, au risque de souffrir atrocement de la réponse. Il n'y a qu'à propos de ce jour-là, à propos de cette broutille sans importance, qu'elle m'a menti avec insistance. Au moment où nos visages à Sıla et moi étaient apparus sur l'écran, j'avais immédiatement tourné les yeux vers madame Hayat, et j'avais vu qu'elle fixait l'écran. Or chaque fois que j'avais remis le sujet sur la table, désirant secrètement la coincer, elle répondait : "Mais comment je vous aurais vus à la fin, tu inventes !", et cependant ses lèvres se pinçaient en un sourire que je ne lui voyais jamais, inquiet et malhabile, comme sur le point de se déchirer sous la pression d'un aveu qui la brûlait. Un sourire qui semblait concéder ce que ses mots refusaient d'admettre.

Nous allâmes de nouveau dans le restaurant aux milles et une statues. Elle avait attaché ses cheveux.

— Vous n'étiez pas là le week-end dernier.

— J'avais à faire, répondit-elle sans autre explication.

Je me sentais en colère contre elle, quoique la raison de cette colère m'échappât. Il n'y en avait aucune. Je m'obstinais pourtant à en trouver une dans le fond de ma cervelle, comme on fouille dans une vieille malle sans savoir ce qu'on y cherche.

— Tu es ailleurs, on dirait, me dit-elle.

— Non, lui répondis-je en riant.

Puis je lui racontai l'histoire du bouquiniste et de la photo.

— De tels gens existent, dit-elle, mais ils sont peu nombreux.

Puis, avec un sourire sarcastique, elle ajouta :

— On rencontre beaucoup plus d'imbéciles qui savent le prix de ce qu'ils ont à vendre... À propos, tu savais que la Terre, une fois tous les vingt mille ans, dans son cycle autour du Soleil, se met à trembler d'un coup.

Je n'avais jamais entendu pareille théorie.

— Non, je ne savais pas.

— Si, et c'est lors d'une de ces secousses que le Sahara s'est transformé en forêt... Et pendant vingt mille ans, le désert était une forêt... Puis la terre a tremblé de nouveau, et la forêt a disparu, le désert est revenu.

Je la dévisageais l'air de lui demander si elle se fichait de moi.

— Je te jure. J'ai vu un documentaire là-dessus. Ils ont trouvé les traces d'une très ancienne forêt en faisant des fouilles dans le Sahara.

Elle but une gorgée de raki.

— En tout cas, ça me paraît un peu idiot de prendre les choses au sérieux, quand on habite sur un caillou aussi instable.

— Et comment vivre sans les prendre au sérieux ?

— Et comment vivez-vous, vous qui êtes sérieux ?

Elle me caressa la main du bout du doigt.

— Il ne faut jamais oublier deux trois choses... La première, c'est que nous vivons sur un petit caillou indécis et tremblant… La seconde, c'est que la vie est très courte… La troisième…

Elle se tut.

— La troisième ?

— Tu la trouveras toi-même… Allez, mange un peu de ces délicieux mezzés.

Elle n'aimait pas les disputes, elle n'insistait jamais, elle disait seulement ce qu'elle avait envie de dire et se fichait pas mal de l'interprétation qu'on en ferait ensuite.

Ce soir-là, elle portait une robe couleur prune. Lorsqu'elle se penchait en avant, mon regard plongeait dans le sillon d'ombre qui courait entre ses seins.

L'idée d'avoir fait de la peine à Sıla me traversa soudain l'esprit. C'était comme un fantôme qui erre dans le brouillard des rues : une pensée qui disparaît rapidement, mais dont je savais qu'elle réapparaîtrait aussi facilement.

En sortant du restaurant, je trébuchai contre la statue de Cendrillon. J'en fus ému.

— Viens, dit-elle, marchons un peu, la nuit est belle.

Nous marchions côte à côte, j'écoutais le bruit de ses talons qui martelaient le sol. Nous ne parlions pas. Elle semblait réfléchir. Après un long moment, elle s'arrêta :

— Je suis fatiguée de marcher. Prenons un taxi.

Une voiture s'arrêta, elle donna l'adresse au chauffeur. Elle était assise à un bout de la banquette arrière, moi à l'autre, un vide entre nous. Le taxi stoppa au milieu d'une rue en pente qui descendait d'un quartier cossu à un quartier plus modeste de la ville, devant un immeuble de six étages. Elle ne fit pas d'objection quand je payai le taxi.

Elle sortit une clef pour ouvrir la porte de l'immeuble. Nous entrâmes dans un petit ascenseur à la porte chromée ; à l'intérieur, nous étions trop loin pour nous toucher, assez près pour sentir la présence de l'autre. Elle avait un parfum de lys. Nous sortîmes au dernier étage.

Son appartement était d'une sobriété étonnante. Il y avait un fauteuil recouvert d'un velours couleur vison dont l'usure indiquait qu'elle aimait s'y asseoir, à côté de lui une table basse, contre le mur un canapé à trois places vert canard, plus loin un guéridon où trônait un vase rempli de fleurs fraîchement coupées, et encore un immense écran de télévision qui paraissait l'objet le plus cher de la maison. Deux lampadaires coiffés d'abat-jour, l'un placé à côté du fauteuil, l'autre à l'angle du canapé, diffusaient une lumière douce.

— Assieds-toi, je t'en prie, je vais faire un café.

Je pris place sur le canapé. Elle revint avec deux cafés. Elle s'assit sur le fauteuil, les jambes croisées. Sa robe remonta sur sa cuisse. J'en avalai ma salive. Incapable de savoir quoi dire, quoi faire. Elle était clairement en train de me séduire, et moi je n'arrivais même pas à me rendre compte que j'étais en train d'être séduit.

— C'est très beau chez vous, dis-je d'une voix timide.

— Tu aimes ?

— Oui, vraiment.

Son appartement embaumait la fleur. Les rideaux étaient tirés. Elle me regardait en souriant, d'un air espiègle et joueur. Nous bûmes nos cafés sans dire un mot. Je sentais pourtant qu'il fallait que je dise quelque chose, mais aucune phrase ne me venait à l'esprit. Et je ne savais pas si elle attendait que je fasse le premier geste. J'étais tétanisé sur place.

Elle posa sa tasse de café vide sur la table basse.

— Viens, me dit-elle doucement en se levant.

Je la suivis dans le couloir, les yeux rivés sur le mouvement de ses genoux. Au bout du couloir, nous entrâmes dans la chambre à coucher. Une veilleuse était allumée au chevet du grand lit.

Elle se déshabilla lentement. On aurait dit qu'elle prenait un plaisir particulier à ôter chaque morceau de tissu l'un après l'autre. Elle était toute nue, et je n'avais même pas déboutonné ma chemise ; j'étais absorbé par le spectacle qu'elle m'offrait. Son corps était plus jeune que son visage. Elle s'allongea sur le lit en me lançant d'un air moqueur :

— Eh bien, tu comptes rester planté là toute la nuit ?

Je me déshabillai en vitesse.

Elle faisait l'amour avec douceur, sans précipitation, jouissant de chaque mouvement, chaque caresse, ainsi qu'elle s'était déshabillée. Ses gestes tendres dirigeaient les miens, ils m'indiquaient ce que je devais faire, et je les suivais dévotement, sans gêne ni contrainte. Nos soupirs et nos cris se firent plus vifs, plus forts, comme la flèche d'un archer magnifique s'élance quand il relâche soudain la corde qu'il avait longtemps tendue. Je m'abandonnai complètement, tout mon être envahi d'une sensation qui tenait du rêve et de l'envol dans un nuage parfumé de lys.

Les onze jours suivants furent comme une parenthèse enchantée au milieu de l'existence, une autre vie, un autre monde : le temps, la gravité, la lumière, les couleurs, les odeurs en étaient changés, je découvris des lois nouvelles, des habitudes inconnues, des plaisirs insoupçonnés.

Madame Hayat m'avait fait entrer dans sa vie avec la même simplicité naturelle, la même douceur harmonieuse avec laquelle elle offrait son corps, et je m'y étais installé sans rencontrer le moindre obstacle. Une telle facilité avait pourtant quelque chose d'inquiétant, et je sentais déjà que la sérénité des débuts annonçait la jalousie et les peines de la fin. J'ignorais alors qu'entrer dans la vie de quelqu'un, c'était comme pénétrer dans un labyrinthe souterrain, un lieu hanté de magie dont on ne pouvait sortir identique à la personne qu'on était avant de s'y engouffrer. Je croyais encore en la possibilité de traverser l'existence comme un personnage de roman, envoûté peut-être, mais certain de pouvoir sortir du cercle de mes émotions dès que l'envie m'en prendrait.

Elle était comme une déesse pour moi, une divinité mythologique dont mon vieux dictionnaire ignorait encore le nom. Je ne pouvais plus passer une seconde sans la toucher. Je tremblais quand elle s'éloignait, je la suivais partout.

Elle avait l'habitude, dans son appartement, de se promener vêtue d'une sorte d'habit de plage fait d'une jupe qui lui arrivait au ras des fesses et d'un débardeur à bretelles qui laissait voir la moitié de ses seins, aux pieds des sabots à talon discret et lanières de cuir noir. Quand je m'approchais d'elle, l'excitation à fleur des lèvres, et la coinçais dans n'importe quel angle de l'appartement, elle ne se dérobait pas, elle se contentait de chuchoter en souriant, la voix pleine de provocation narquoise et de la satisfaction à peine dissimulée de voir l'effet que faisaient sur moi ses minauderies affolantes :

— Mais tu m'as déjà sauté dessus il n'y a pas cinq minutes, tu es décidément infatigable…

Je n'avais d'yeux que pour son corps voluptueux, sa chair, ses plis et ses replis, qui m'appelaient partout, au coin de ses yeux, à la pointe des lèvres, sur sa nuque, sous ses bras, sous ses seins. Elle avait certainement perdu sa beauté de jeunesse, mais tous ces petits défauts de l'âge ne la rendaient que plus attirante. J'étais persuadé de la désirer telle qu'elle était, ni plus jeune ni plus belle. Je me souvenais de la phrase de Proust : "Laissons les jolies femmes aux hommes sans imagination."

J'étais ensorcelé par le mystère de son corps, de ce qu'elle ressentait, et il me semblait que je ne pouvais plus vivre sans la toucher, la sentir, la prendre, l'embrasser. Même de loin, la vision de sa chair m'affolait. Je m'étais épris d'elle en une nuit ; épris, passionné, mais pas amoureux. À vrai dire, je n'avais encore jamais connu ni la passion ni l'amour, et l'expérience me manquait pour les distinguer nettement l'un de l'autre. Pourtant je ne me considérais pas amoureux d'elle, ce que pour moi je justifiais ainsi : "Je ne peux pas aimer quelqu'un qui n'aime pas la littérature." Je me répétais cette phrase en boucle. J'ignorais encore la réponse d'Iris Murdoch à la question de savoir ce qu'est l'amour : "Trouver une personne qui ne se consume jamais."

Parfois, une idée étrange, encore incomplète, aussi vague que peu intelligible, germait dans mon esprit, et quelque chose se passait dans l'écart entre cette idée et mes sentiments : si je n'étais pas tout à fait capable de ressentir ce que je dirais à madame Hayat, j'arrivais néanmoins à lui confier certains de mes sentiments, et je craignais alors non qu'elle n'en perçût pas la sincérité, mais d'y être moi-même insensible. Comme si ces sentiments pour moi inédits n'avaient aucune existence réelle tant que je ne les avais pas sincèrement éprouvés. C'est à cause de cet étrange trouble, je crois, que je me suis si peu confié à madame Hayat.

Elle cuisinait incroyablement bien.

Pendant onze jours d'affilée, nous ne sommes pas allés au studio de télé. Je n'allais plus à l'université non plus. Quand nous ne faisions pas l'amour, nous regardions des documentaires, ou bien nous nous promenions en ville, nous arrêtant dans le premier restaurant venu dès que nous avions faim. C'était toujours elle qui payait.

Elle avait un genre de rapport à l'argent tout à fait déconcertant pour moi. Il m'inquiétait, à vrai dire il me faisait même parfois enrager. Un jour, en nous promenant dans les rues du quartier, dans la vitrine d'un antiquaire, nous vîmes une jolie lampe. C'était un modèle ancien, à bras articulé. Une boule en laiton montée sur une tige rattachée au pied de la lampe permettait de l'incliner, vers l'avant quand on tirait la boule vers le haut, vers l'arrière dans l'autre sens. Elle rendait une très belle lumière, très douce, couleur d'ambre, qui se déployait et se refermait comme une fleur en papier au gré des inclinaisons qu'on lui imprimait avec la petite boule.

Madame Hayat entra aussitôt dans la boutique, je la suivis.

— Combien, la lampe ?

— Sept mille lires.

— Très bien, dit-elle sans négocier une seconde, je la prends. Emballez-la bien, s'il vous plaît, qu'on ne la casse pas en route.

Je n'en revenais pas. Nous touchions soixante-dix lires par journée de figuration, et madame Hayat venait de dépenser cent fois notre salaire quotidien pour une lampe. Ce comportement, sans doute à cause de la pauvreté dans laquelle je vivais depuis quelque temps, me parut absolument irresponsable.

— C'est l'argent de cent jours de travail que vous venez de mettre dans cette lampe, lui dis-je dès que nous fûmes dehors, la lampe soigneusement emballée entre mes mains.

Je lui disais toujours "vous" quand nous n'étions pas chez elle.

— Et dans quoi devrais-je mettre l'argent de cent jours de travail ?

— Je ne sais pas... Ça me semble juste un peu irresponsable.

— Irresponsable vis-à-vis de qui ?

— De vous-même...

— Et en quoi consiste ma responsabilité vis-à-vis de moi-même ?

— À assurer votre sécurité matérielle.

— C'est tout ?

— C'est au moins ça.

— C'est ce qu'on t'a appris ?

— Oui.

— Bien.

Elle se tut. Sa façon de fuir la discussion m'insupportait, je renchéris :

— J'ai raison, non ?

— Peut-être pas.

— Et pourquoi donc ?

— Alors je suis responsable de moi-même, tu dis ?

— Oui.

Elle me regarda et se mit à rire.

— Peut-être que non, je ne suis pas responsable comme tu l'entends. Peut-être que la seule responsabilité que j'aie envers moi-même est de me rendre heureuse. Comme à l'instant, ce que tu essaies de ruiner…

— Une lampe vous rend heureuse ?

— Oui. Très heureuse, même.

— Et si demain vous aviez besoin de cet argent ?

— Et si demain je n'avais pas besoin de cet argent ?

— Vous seriez quand même plus tranquille.

— Et si être heureuse m'intéresse plus que d'être tranquille…

J'avais conscience de tenir le rôle de l'imbécile, et têtu avec ça, mais trop tard, je ne voulais plus reculer.

— Vous pourriez le regretter dès demain.

— Si je ne l'avais pas achetée, j'aurais eu des regrets dès aujourd'hui.

À ce moment-là, nous passions devant un vendeur de fleurs ambulant. Elle vit les mimosas, et comme si toute cette conversation n'avait jamais eu lieu, elle en acheta un énorme bouquet. De retour à l'appartement, elle enleva le lampadaire qui était près du canapé pour le remplacer par la nouvelle lampe, puis elle mit les mimosas dans le grand vase au centre de la table. La pluie commençait à tomber, des gouttes d'eau glissaient le long des carreaux, le halo d'ambre de la lampe illuminait ensemble les mimosas, les gouttes d'eau, les cheveux roux et or de madame Hayat, dans un vertigineux jeu de reflets. Elle contemplait l'effet de sa nouvelle installation en riant de joie.

— Je me sens comme Cléopâtre.

Je ne comprenais pas.

— Quel rapport ?

Elle vint me donner un baiser.

— Je n'en sais rien, Marc Antoine.

J'étais un crétin, et c'était moi qui regrettais, c'était moi qui avais l'impression d'avoir fait n'importe quoi. Elle s'en allait vers la chambre en chantant. Une chanson que je n'avais jamais entendue : *L'amour aime les coïncidences / et le destin les différences / Le temps aime passer / et l'homme ne cesse de chercher.* Elle revint dans sa petite tenue, ses seins dandinant voluptueusement au rythme de ses hanches rebondies.

— Allez viens, il est temps de faire à manger.

Dans la cuisine, je m'arrêtai derrière elle et la caressai sans un mot.

— Qu'est-ce que tu veux ?

Elle me dévisageait.

— Tu ne le mérites pas, mais soit…

Après l'amour, tandis que nous mangions, comme pour me consoler, elle dit :

— Ce n'est pas pour la lampe que j'ai dépensé cet argent, c'est pour la lumière.

Elle avait l'air de tenir ça pour une explication très rationnelle. Je ne pus me retenir d'éclater de rire. J'avais parfois l'impression d'être son enfant, et parfois, comme à ce moment-là, celle d'être son père, mais quelle que fût la situation, c'était toujours elle la meneuse, et moi je courais derrière elle, avec un temps de retard, cherchant à suivre son rythme et ses changements de direction, toujours un peu éberlué.

Après le repas et le café, nous étions devant la télé, elle assise sur son fauteuil, les genoux relevés, sa jupe remontée sur les cuisses. La regardant, je vis alors en elle quelque chose que je n'avais encore jamais remarqué et qui pourtant lui ressemblait tant : une formidable solitude. Elle était absorbée dans cette solitude qui n'appartenait qu'à elle, qui la divertissait, qui la rendait heureuse, et elle m'avait oublié. Combien de fois, par la suite, je devais la voir se retirer dans cette solitude-là, un sourire satisfait au coin des lèvres. Et quand je lui parlais, elle en sortait aussitôt avec la même sérénité, le même naturel qu'elle y était entrée. La solitude était comme son nid. Elle s'en évadait avec la même grâce qu'un oiseau qui s'envole hors de son nid, ses grandes ailes ouvertes, sans le moindre effort. Cette extraordinaire aptitude à la solitude était une autre de ses qualités pour moi inédites, et sa solitude m'enchantait, elle me donnait envie d'y entrer à mon tour. J'aurais voulu que nous ne fussions plus qu'une seule solitude.

Un documentaire sur les fourmis passait à la télé. La littérature mise à part, je n'avais jamais rien vu d'aussi fascinant. Il existait une foule de différences étonnantes entre les diverses espèces de fourmis. Certaines fourmis du désert ressemblaient à des astronautes ; des millions d'années avant que les hommes n'inventent cet étrange costume, elles en avaient déjà revêtu leur corps, et on les voyait arpenter les sables dans cette tenue futuriste.

Les fourmis, créatures aveugles, construisaient sous la terre des villes entières avec leurs rues, leurs avenues, leurs maisons et leurs chambres. Elles inventaient des systèmes d'aération très sophistiqués, elles créaient des barrages contre les eaux qui menaçaient leurs édifices. Chaque espèce de fourmis bâtissait exactement le même type de ville, où qu'elles se trouvent sur la terre. Leur intelligence commune, car elles n'en connaissaient pas d'individuelle, tout était élaboré collectivement, leur permettait de concevoir des plans d'urbanisme d'une splendeur hallucinante. Les fourmis coupe-feuille, lorsqu'elles trouvaient une feuille intéressante, se mettaient à entonner un chant. Le son se diffusait de leurs pattes à la feuille, et, entendant ce chant qui se répercutait ainsi comme dans un haut-parleur, des fourmis spécialement chargées du transport accouraient aussitôt pour emporter la feuille vers la colonie.

Les fourmis savaient aussi fomenter des complots pour renverser leur reine, elles réunissaient des troupes en vue d'un véritable coup d'État, et dévoraient ensuite la reine qu'elles avaient déchue par la force. Je comprenais alors pourquoi Maeterlinck avait écrit un livre sur les fourmis, et regrettais sincèrement de ne pas l'avoir lu ; je me promis d'aller me le procurer chez un bouquiniste dès que j'en aurais l'occasion. Pour la première fois, je découvrais un monde aussi riche et stupéfiant que celui des romans.

À la fin du documentaire, madame Hayat me demanda si ça m'avait plu.

— Beaucoup ! Je n'aurais jamais imaginé que les fourmis puissent organiser des coups d'État...

— On voit ça aussi chez les singes, il y a de vraies batailles politiques, les singes qui veulent être choisis comme chef distribuent des bananes pour rallier les autres singes à leur cause, ils organisent de véritables campagnes, on les voit prendre les petits dans leurs bras, comme des hommes politiques dans un meeting.

Elle se leva.

— On boit encore un café avant d'aller au lit ?

— D'accord.

Je la suivis dans la cuisine en la serrant de près, et elle, riant :

— On va aller au lit, on y va, ne t'inquiète pas !

— Comment t'es venue l'idée de faire de la figuration pour la télé ? lui demandai-je quand nous buvions nos cafés.

— J'avais un ami qui était directeur de cette chaîne, il m'a proposé de faire partie du public, c'était amusant, disait-il, alors j'ai décidé d'aller voir, et en effet ça m'a beaucoup amusé. C'est comme un documentaire en sous-sol, tu vois des choses, des attitudes, des gens que tu ne verrais nulle part ailleurs. C'est un peu comme de suivre les aventures d'une espèce de créatures inédites, sauf qu'en plus tu fais toi-même partie de l'aventure.

Je contemplais ses jambes.

— Il est temps d'aller au lit, dit-elle en souriant, je vois que tu t'impatientes.

Avec elle je découvrais le suprême bonheur d'être un homme, un mâle, j'apprenais à nager dans le cratère d'un volcan qui embaumait le lys. C'était un infini safari du plaisir. Elle m'enveloppait de sa chaleur et de sa volupté pour m'emporter au loin, vers des lieux inconnus, chacun de ses gestes tendres était comme une révélation sensuelle. Elle m'enseignait que les voies du plaisir sont innombrables.

Je découvrais au fil des jours des sentiments nouveaux, des pensées nouvelles, une autre perception du temps, une autre façon de vivre. Le temps changeait de nature dès que je la touchais, l'existence se défaisait de la gangue du temps, celle-ci comme éventrée par un couteau tranchant, dépouillée du passé et de l'avenir, révélant tel le cœur d'un fruit succulent l'instant nu que nous vivions. D'ordinaire écrasé sous les lourdes ailes du passé et du futur, et jamais véritablement vécu à cause des nécessités qu'on sent peser sur lui, le "moment présent", ce noyau du temps qui passe, s'affranchissait du passé comme de l'avenir pour devenir la mesure infinie de l'existence. Les souvenirs d'hier disparaissaient avec les inquiétudes du lendemain, la vie tout entière ne formait plus qu'un seul et immarcescible "présent". Un présent qui s'étirait sans aucune coupure, plein de désinvolture joyeuse, de plaisanteries, de tendre sérénité et de volupté infatigable. Il n'y avait plus ni passé ni futur quand je sentais son corps contre le mien, mais l'instant unique, tout empli de sa présence, qui seul nous rattachait à la vie.

Telle était l'immense liberté que j'éprouvais en m'affranchissant des bornes du temps. Madame Hayat était libre. Sans compromis ni révolte, libre seulement par désintérêt, par quiétude, et à chacun de nos frôlements, sa liberté devenait la mienne. Bientôt la vie n'aurait plus de goût hors de cette liberté, j'étais dépendant de ses délices. Si elle s'éloignait de moi, que je ne la touchais plus, les ailes du temps aussitôt se refermaient, le passé et l'avenir étouffaient à nouveau le "moment présent", je me sentais étranglé.

Madame Hayat ne s'en faisait jamais, elle se moquait de tout, rien ne pouvait la blesser. Un soir, nous étions sortis dans un bistrot. À la table d'à côté, un groupe de jeunes dînait et buvait. L'une des filles de la bande, je ne sais pas pourquoi, si c'était pour le plaisir de lancer une pique ou simplement parce qu'elle avait trop bu, lui demanda d'un coup, en me désignant :

— C'est votre fils ?

Un instant, j'eus peur que madame Hayat soit affreusement vexée, mais elle, secouant ses longs cheveux, lui répondit tout sourire :

— Oui… Mais il est un peu mal élevé.

Sur le chemin du retour, je la provoquai :

— Alors mamounette, comme ça je suis ton fils ?

— Oui, mais tu es un peu mal élevé…

Je lui racontai alors l'histoire d'Œdipe.

— Tu veux me dire que c'est toi Œdipe ?

— Si on veut… On parle parfois de "complexe d'Œdipe" pour désigner ce genre de relations.

À ces mots elle éclata de rire.

— Mamounette, c'est ce genre de noms de bébé chat que vous donnez aux relations ? Sinon vous avez peur d'être complètement perdus, c'est ça ?

Nous étions un beau couple : mari et femme, fils et mère, père et fille, garde du corps et princesse, prince et odalisque, ils pouvaient nous juger comme ils voulaient, je savais que nous n'entrions dans aucun moule ; nous avions des rapports si différents à l'existence, des sources d'inspirations si diverses qu'il était impossible de nous ranger dans la moindre catégorie préexistante. Quand elle me parlait de la nature, de l'univers, des animaux ou des astres, je me sentais un petit garçon ignorant, et quand c'était moi qui lui parlais des écrivains, des philosophes, elle m'écoutait comme une petite fille. Si elle ne s'intéressait pas directement à la littérature, je m'aperçus que la biographie des écrivains et des philosophes la passionnait, et chaque fois que je racontais la vie de l'un d'eux, elle m'écoutait aussi religieusement qu'elle pouvait regarder un documentaire sur les fourmis.

— Kierkegaard était amoureux d'une jeune fille qui s'appelait Regina. Il lui demanda sa main, et la fille accepta. Mais au dernier moment, Kierkegaard se rendit compte qu'il était trop pieux et trop tourmenté pour se marier. Il retira sa proposition. Regina le supplia de l'épouser, elle l'implorait en larmes, mais lui demeura inflexible, il ne l'épousa pas.

— Et ensuite ?

— Regina en épousa un autre, elle fut très heureuse, et Kierkegaard resta malheureux toute sa vie.

Elle me regardait, perplexe.

— Eh bé, quel imbécile ce type !

Je ne pus me retenir d'éclater de rire. Même madame Nermin n'aurait pas osé parler ainsi de Kierkegaard.

Nous nous faisions beaucoup rire. Jamais je n'aurais pu ne serait-ce qu'imaginer m'amuser autant avec quelqu'un. Nous avions beau avoir des personnalités, des passions, une culture et des goûts très différents, tout entre nous était merveilleusement naturel.

Nous discutions énormément, et pourtant elle ne parlait jamais d'elle, ni de son passé, ni de ses projets. J'en savais très peu, elle ne disait rien, et si je lui posais une question plus personnelle, elle haussait les épaules et changeait aussitôt de sujet. "Ma vie n'a rien de bien intéressant", disait-elle. Elle était comme une galaxie mystérieuse qui planait au milieu de ma vie, dont je voyais les étoiles, les feux, les scintillements, mais dont l'énigme d'ensemble demeurait insoluble. Avait-elle un secret à cacher, un secret dont elle jugeait plus séduisant de préserver le mystère, ou bien trouvait-elle tout simplement ennuyeux de parler d'elle, c'est ce que j'ignorais. Il y avait un trou noir au milieu de cette voûte étoilée, une ombre désirable qui la rendait fascinante et que je n'arrivais jamais à percer.

Il m'arrivait d'essayer de ruser pour en apprendre plus ; j'avais en tête une phrase de monsieur Kaan, notre professeur : "Pour connaître quelqu'un, il faut connaître ses rêves." Un soir alors, avant de nous coucher, je lui demandai :

— Quel est ton plus grand rêve ?

Elle se mit à glousser, un rire bien à elle qui m'évoquait chaque fois l'image d'une pluie de diamants s'entrechoquant sur un tissu de velours noir.

— Aller plus vite que la lumière, répondit-elle enfin.

Je m'étais habitué à ce genre de réponses farfelues.

— Non, mais sérieusement ?

Elle s'était assise en tailleur sur le lit, toute nue, ses seins lourds tombant légèrement vers l'avant, la toison châtain nichée entre ses cuisses, les épaules et les jambes dorées par la lumière de la veilleuse sur la table de nuit.

— Depuis toute petite je rêve d'aller plus vite que la lumière, dit-elle sérieusement. Imagine : tu es si rapide que tu peux aller partout, mais personne ne te voit. Tu es partout, mais pour les gens tu n'es nulle part. Puis la lumière arrive derrière toi en apportant ton image. Et eux croient que cette image c'est toi, mais ce n'est qu'une image… Ils lui posent des questions, et toi, toujours invisible d'eux, tu leur réponds, séparément de ton image… Tout serait plus amusant si l'on pouvait aller plus vite que la lumière, les êtres réels seraient invisibles, et les êtres visibles seraient irréels.

Elle approcha son visage du mien.

— Est-ce que tu connais un plus beau rêve que celui-là ?

Je la pris dans mes bras et l'attirai contre moi.

— Non, il n'y a pas de plus beau rêve…

Un matin, au petit-déjeuner, comme il faisait un temps magnifique, elle déclara :

— Aujourd'hui on va dans la forêt. Je nous prépare un pique-nique, on déjeunera là-bas.

Elle avait ce genre d'envies soudaines. Une idée lui venait tout à coup et elle voulait la mettre en pratique sur-le-champ. Elle était convaincue de pouvoir faire tout ce qui lui passait par la tête. Et elle le faisait.

— Et comment ira-t-on en forêt ? demandai-je.

— En voiture.

— Quelle voiture ?

— La mienne.

— Tu as une voiture ?

— Oui, j'en ai acheté une mais comme je n'aime pas conduire, elle passe son temps garée devant l'immeuble… Tu sais conduire, n'est-ce pas ?

— Oui.

— Parfait, alors c'est toi qui conduis.

La forêt était silencieuse. Nous avions garé la voiture au bord d'un chemin et marchions entre les arbres. Les feuilles mortes craquaient sous nos pas. Jouant entre les feuillages rougeoyants, un doux soleil d'automne nous éclairait en pointillé, comme à travers un voile de dentelles, réchauffant la fraîcheur du sous-bois. L'ombre et la lumière changeaient continuellement de place. Nous nous arrêtâmes dans une clairière où nous étendîmes la couverture que nous avions apportée. Madame Hayat s'allongea sur le dos, les mains croisées sous la tête, et elle ferma bientôt les yeux. Je la regardais. Un léger vent agitait les feuillages et faisait danser la lumière qui tombait sur elle, son corps semblait onduler au rythme de ces vagues.

Elle paraissait m'avoir oublié ; je la regardais et pensais à elle, mais elle, à quoi pensait-elle ? Je n'en saurais jamais rien, voilà tout ce que je savais, et mon ignorance m'irritait. Je sentis que cette impuissance à savoir, ou ne serait-ce qu'à deviner ce à quoi pense la personne en face, me mettait en colère.

Elle rouvrit soudain les yeux avec un grand sourire.

— Tu n'as pas faim ?

— Si, un peu.

Elle se redressa en s'appuyant sur un bras et tira vers elle le panier du pique-nique, d'où elle sortit des sandwiches, des gobelets et des assiettes en carton. Nous mangeâmes en silence. On n'entendait rien d'autre que le chuintement des feuilles qui remuaient avec le vent.

— Le bonheur ne ressemble-t-il pas à ça ? me demanda-t-elle.

Je ne répondis pas, sa question n'appelait pas de réponse.

Jusqu'à ce qu'arrive la lettre fatidique, je ne sus jamais si elle était heureuse ou non avec moi. Nous ne parlions pas de nos sentiments. Un jour que nous déjeunions dans un bistrot de quartier, réfugiés derrière les vitres battues par l'averse, n'y tenant plus je lui avais posé la question : "Tu es heureuse ?" Elle m'avait regardé longuement, d'un air interrogateur et presque menaçant, avant de répondre : "On ne pose pas cette question à une femme. Une femme ne sait pas si elle est heureuse, elle sait en revanche très bien ce qui manque à son bonheur. Donc pas besoin de le lui rappeler." Comment aurais-je pu savoir, moi, que ce manque-là pouvait tourmenter même les plus vaillantes d'entre elles...

Après le pique-nique, elle s'allongea de nouveau, les yeux ouverts sur la lumière qui jouait et tremblait entre les feuilles. Je posai une main sur sa cuisse. Elle me lança un clin d'œil rieur.

— Qu'est-ce que veut cette main ?

— On le fait ?

— Tu en as très envie ?

— Oui.

Elle débarrassa la couverture de tout ce qui l'encombrait. Puis elle se leva. Elle remonta sa jupe jusqu'au-dessus des hanches, en me tournant le dos, et appuya ses deux mains contre un arbre. Ce fut court, trois, quatre minutes, mais dans cette forêt déserte, le mélange de peur et de désir procurait un tel frisson que je sentis mon corps éclater de plaisir, littéralement éclater en morceaux, d'un plaisir déchirant comme des éclats de verre, un plaisir comme je n'en avais jamais goûté.

En rebouclant ma ceinture je me rendis compte du risque insensé que nous avions pris : si quelqu'un nous avait surpris dans cette position, en plein milieu de la forêt, qui sait ce qu'il aurait pu se passer. J'imaginais les pires choses. Madame Hayat, elle, ne montrait aucun signe d'inquiétude. Elle n'avait pas peur. Quand je lui fis part de la mienne, elle se mit à rire :

— Au pire on meurt… Au pire on meurt.

Ce soir-là, au lit, elle me parla avec un sérieux que je n'avais encore jamais entendu dans sa voix :

— Un jour, tu oublieras tout ça, tout ce que nous sommes en train de vivre maintenant.

Elle se tut, respira longuement.

— La seule chose que je te demande, c'est de choisir un moment, un unique moment… Et de ne pas oublier ce moment… Si tu essaies de te souvenir de tout, tu oublieras tout… Mais si tu choisis un moment parmi tous ceux que nous avons partagés, alors il t'appartiendra pour toujours, tu ne l'oublieras jamais… Et moi je serai heureuse, heureuse de savoir que j'existe encore pour toi, à jamais gravée dans un coin de ton esprit comme le souvenir d'un moment que nous avons vécu ensemble.

Elle se contentait d'un moment, d'une seule image.

J'allais lui dire que je me souviendrais d'elle bien au-delà d'une seule image, mais elle appuya son doigt contre mes lèvres.

— Chut, ne dis rien.

Je ne dis plus rien.

Je m'endormis bercé par une joie mêlée d'une tristesse inexplicable.

Le lendemain matin, tout était plus silencieux qu'à l'ordinaire. Elle prenait son petit-déjeuner sans parler. À la place de sa petite tenue habituelle, elle portait une jupe qui lui descendait jusqu'aux genoux. Son petit-déjeuner terminé, elle me dit :

— Ça fait trop longtemps que tu négliges tes cours, et ton travail à la télé. Il est temps que tu retournes à ta vie… Va, prends du repos, moi aussi je vais me reposer un peu.

Elle me mettait dehors. J'étais écarlate. Jamais personne ne m'avait autant humilié. Je m'en allai vers la porte sans dire un mot.

— Attends, prends ça.

Je me retournai. C'était la clef de sa voiture.

— Je ne m'en sers pas de toute façon, tu peux la garder pour un moment.

J'avais envie de refuser fermement, mais d'un autre côté cette clef était comme un gage que notre relation reprendrait un jour, et je ne pouvais me résoudre à l'enterrer. Je pris la clef. Au moment où j'ouvrais la porte, elle me retint :

— Tu t'en vas sans m'embrasser ?

Je lui donnai un baiser froid, sur la joue.

En montant dans la voiture, une phrase de Nietzsche me revint : "Même les femmes les plus douces ont un goût amer." Un goût très amer, qui me brûlait la gorge.

V

Le bruit me réveilla à l'aube, mais ma fatigue était si grande que je me rendormis aussitôt. Une fois levé, je descendis dans la cuisine pour boire un thé ; il y avait du monde autour de la table, on parlait nerveusement, l'agitation était palpable.

— Qu'est-ce qu'il se passe ? demandai-je à Bodyguard.

— Les flics ont débarqué ce matin, ils ont arrêté deux gamins du premier.

— Pourquoi ?

— Ils avaient partagé un texte sur Facebook.

— C'est un crime ça ?

Celui que tout le monde appelait le Poète avait entendu ma question ; il se leva brusquement et siffla entre ses dents :

— Faire une blague sur le gouvernement est devenu un crime. Dorénavant, interdit de blaguer.

— Tu es sérieux ? demandai-je.

— C'est eux qui sont sérieux.

On aurait dit que nous étions coincés dans la paume d'un géant qui pouvait nous écraser quand il le voulait, d'un seul geste, en refermant la main. Encore sous le choc, nous étions en train de comprendre que faire ce que nous avions toujours fait pouvait désormais nous valoir une condamnation, qu'il suffisait d'une blague, d'un bon mot, d'une seule phrase, pour que la police déboule à l'aube et nous embarque. Face au vague et à l'immensité de cette menace nouvelle, il ne nous restait que la peur, une peur muette, collective. Personne ne disait plus rien. Je finis par quitter l'immeuble pour rejoindre la voiture que j'avais garée plus loin.

L'événement du matin n'avait fait qu'augmenter mon désarroi général. Toutes les émotions accumulées ces derniers temps me pesaient d'un poids si lourd qu'à la moindre secousse je risquais d'être écrasé, broyé, réduit en miettes. Je me sentais déchiqueté par une meute de bêtes sauvages. Les pensées les plus déchirantes concernaient toutes madame Hayat.

Pourquoi m'avait-elle chassé ? Qu'avais-je fait de mal ? S'était-elle lassée ? Avait-elle trouvé quelqu'un d'autre ?

Cette dernière question en particulier me raidissait instantanément, elle me réduisait à une espèce de paralysie que rien ne pouvait dénouer. J'étais obsédé par l'idée fixe de savoir où elle, madame Hayat, se trouvait, et si elle avait pu me répondre "je suis là, ici", il me semble que tout mon corps se serait détendu d'un coup, et que pouvant enfin la localiser mentalement, j'aurais été complètement apaisé. Mais comme je n'arrivais à me faire aucune image de l'endroit où elle était, elle s'éloignait de moi, elle disparaissait dans un brouillard mystérieux d'où elle surgissait par moments, toute nue et souriante, pour disparaître à nouveau dans la brume impénétrable. Et cette ignorance où je me trouvais, encore renforcée par mon imagination devenue folle, était le berceau des pires soupçons, comme autant de doutes infirmes et aussitôt mort-nés.

Ne pas pouvoir l'atteindre, lui parler ni la toucher quand je le voulais me plongeait dans un désespoir énorme, et à la jalousie s'ajoutaient d'autres pensées morbides, j'étais pris de peur à l'idée qu'il pût lui être arrivé quelque chose, qu'elle meure, ou plutôt qu'une de ses audaces téméraires ait fini par la tuer. Nourris et abreuvés par l'ignorance, les rejetons boiteux de ma fantaisie grandissaient, ils devenaient énormes et m'étranglaient. Il arrivait aussi que mes émotions, sous le coup de la fatigue, disparaissent soudain, me laissant vide, pour un instant apaisé. Dans ces moments-là, je me sentais comme une jeune pousse, fraîche et vivace. Je ne savais pas comment sortir de ce cercle infernal. On ne me l'avait pas appris. Avec le temps, tel un homme souffrant d'une maladie longue, j'allais m'habituer à ces crises, et si la douleur que je ressentais ne s'atténuait pas, je saurais au moins mettre à distance le trouble qui la causait. Et jusqu'au dernier moment, jusqu'à l'événement fatidique, le fait de la retrouver toujours après l'avoir perdue sans cesse suffirait à apaiser mon trouble.

Je pris la voiture. Elle était petite, mignonne. Même si elle n'était pas à moi, disposer d'une voiture m'enchantait. Mon père avait toujours fermement refusé de m'acheter une voiture. "Un homme ne doit avoir de voiture que celle qu'il peut s'offrir lui-même", c'était sa phrase. Je crois aussi qu'il était obsédé par certaines images de gosses de riches morts dans des accidents de la route, et cela expliquait l'inflexibilité de sa doctrine, sur laquelle même les interventions de ma mère en ma faveur n'avaient aucun effet. À l'époque où j'étais riche j'étais toujours allé à l'école à pied, maintenant que j'étais pauvre j'allais à l'université en voiture. Le temps était frais, humide, mais j'ouvris la fenêtre et laissai pendre mon bras à l'extérieur en conduisant.

C'était le jour du cours de monsieur Kaan. Il parlait d'une voix de grosse caisse, inattendue pour sa petite taille. Il commença par une question :

— Pourquoi la plupart des écrivains ont-ils cherché la nouveauté et le changement surtout dans la forme ? Pourquoi leur paraissait-il plus excitant de transformer la forme, le style, et non le fond, l'idée ?

Il balaya la classe de son regard perçant, puis, comme à son habitude, répondit lui-même à la question qu'il avait posée :

— Car le fond ne change pas.

Marchant cette fois entre les rangées, il continua d'une voix triste, comme si quelque chose dans son discours ou dans ses élèves le chagrinait :

— Le fond de toute littérature, c'est l'être humain… Les émotions, les affects, les sentiments humains. Et le produit commun à tous ces sentiments, c'est le désir de possession. Quand vous voulez posséder quelqu'un, vous rendre maître de son cœur et de son âme, c'est l'amour. Quand vous voulez posséder le corps de quelqu'un, c'est désir, la volupté. Quand vous voulez faire peur aux gens et les contraindre à vous obéir, c'est le pouvoir. Quand c'est l'argent que vous désirez plus que tout, c'est l'avidité. Enfin, quand vous voulez l'immortalité, la vie après la mort, c'est la foi. La littérature, en vérité, se nourrit de ces cinq grandes passions humaines dont l'unique et commune source est le désir de possession, et elle ne traite pas d'autre chose. Tel est le fond.

Il s'arrêta pour regarder la salle.

— Comment changerez-vous ce fond-là ? Telle est la question.

Un léger sourire se dessina entre les poils de sa barbe grisonnante.

— Durant ce semestre, j'attends de vous que vous répondiez à cette question… Ou que vous veniez contredire ma thèse par une autre, exemples à l'appui. Réfléchissez-y, mettez-vous au travail. Et n'oubliez jamais que je préférerais être contredit plutôt que confirmé.

En sortant du cours, je songeai que non, je ne voulais pas posséder madame Hayat, seulement être à ses côtés. Cependant il y avait dans cette réponse, je le sentais, quelque chose qui sonnait faux, quelque chose de l'ordre de l'autopersuasion. Je n'étais pas très assuré de la valeur de mes idées, et une voix me disait : "Peut-être que mon désir est effectivement de la posséder." Mais que voulais-je posséder d'elle exactement ? Son corps ? "Oui, semblait répondre une autre voix, je veux posséder son corps." Et son âme ? À cette question je me refusais de répondre, je ne voulais même pas me la poser, et pourtant elle ne me sortait pas de la tête. Si je pensais à l'âme de madame Hayat, la première image qui me venait à l'esprit, c'était elle devant sa télévision, plongée dans cette solitude fascinante, comme si la solitude elle-même était toute son âme, et je n'arrivais pas à m'expliquer pourquoi je la percevais ainsi, même si j'éprouvais le désir d'avoir dans cette solitude une place à moi seul réservée. Était-ce cela, le désir de possession, était-ce là une nouvelle façon de l'envisager ? Les réponses m'effrayaient ; je compris que cette solitude paisible et mystérieuse m'avait envoûté, or le sortilège continuait d'agir…

Ce soir-là, madame Hayat ne vint pas à la télé. Sıla aussi était absente. Je n'avais personne à qui parler, tout le monde m'avait abandonné. Je contemplais la scène le regard vide. Une femme chantait, en jupe très courte. Elle avait des jambes sublimes. "Les femmes savent ce qu'elles doivent montrer", disait madame Hayat. Mais sur le visage de la chanteuse quelque chose clochait, un genre de bizarrerie, imperceptible au premier regard. J'essayais de trouver ce que c'était, toute mon attention à présent focalisée sur elle. La femme n'avait pas de lèvres. Sa bouche était comme une fente, une coupure. Or étrangement, ce manque criant ne la rendait que plus excitante.

Un chanteur fit ensuite son entrée, accompagné de trois danseuses dont les chairs nues surgissaient d'entre leurs soutiens-gorge pailletés et leurs jupes fendues. Elles dansaient avec une grâce et une souplesse inouïes.

À la pause, je sortis prendre un thé dans le couloir. La plupart des femmes présentes avaient l'âge de madame Hayat ; elles avaient toutes les cheveux blonds. Je me souvins alors d'une réplique qu'elle avait faite en riant : "Quelle que soit leur couleur de cheveux à la naissance, les femmes meurent toutes blondes." Je lui avais demandé pourquoi. Elle m'avait expliqué qu'en vieillissant, les traits des femmes se creusent et se durcissent, et que les cheveux foncés accentuent cette dureté de traits, tandis que les cheveux clairs tendent à l'atténuer. "On ne vous apprend pas cela, dans vos livres, Marc Antoine ?" avait-elle ajouté pour se fiche de moi.

Elle me manquait.

Il y avait quelques nouvelles têtes féminines, ce soir-là ; elles ne ressemblaient pas aux autres spectatrices et spectateurs, elles se tenaient immobiles, assises en silence, le visage frappé d'une sorte de gravité soucieuse, et regardaient autour d'elles d'un air étonné et légèrement honteux. Elles n'étaient pas à leur place ici. En les observant plus attentivement, on devinait sous leur mine grave une espèce d'arrogance imparfaitement dissimulée.

Dans la deuxième partie de l'émission, au milieu d'une chanson populaire à la mélodie larmoyante, un hautboïste se lança dans un solo, reprenant le thème comme si c'était un morceau de jazz. Même si on me l'avait dit, je n'aurais jamais imaginer qu'on pût entendre ce genre de son ici, d'autant plus avec un instrument comme le hautbois. J'étais impressionné par l'homme et par son talent. Le public applaudit bruyamment. Pour la première fois, les coquettes aux teintures platine et les hommes qui regardaient autour d'eux d'un air éberlué semblaient reconnaître la qualité de ce qu'ils venaient d'entendre.

L'émission terminée, je demeurai seul après le départ de tous les autres ; je voulais prendre mon temps. Je flânai ensuite dans les rues. Arrivé à l'auberge, je fis un tour par la cuisine pour voir si j'y croiserais quelqu'un ; il n'y avait personne. Je me fis un thé en attendant, dans l'espoir que quelqu'un vienne. Personne ne vint. Je montai dans ma chambre, ouvris la porte du balcon et m'assis pour regarder les gens dehors. La foule semblait s'être encore réduite.

À l'intérieur, les trois fermiers s'en allaient au bal. Ils s'en iraient au bal jusqu'à la fin des temps.

Je gardai mes habits. Une peur absurde de les quitter m'avait envahi, comme si d'être déshabillé m'accablerait encore un peu plus de désarroi et de solitude. Je m'assis sur le lit, la couette remontée sur mes vêtements. Je m'endormis ainsi. Le lendemain, j'étais réveillé tôt. La chambre était minuscule. Étouffante. Je quittai l'immeuble, en panique. J'errai dans les rues. Les gens partaient au travail. Leurs mines étaient maussades.

Vers midi, je pris mon courage à deux mains et téléphonai à Sıla.

— Comment vas-tu ?

— Bien, dit-elle, et toi ça va ?

Elle semblait heureuse de m'entendre.

— Tu fais quoi ? lui demandai-je.

— Je lis un bouquin que j'ai trouvé dans la bibliothèque de Hakan. *Le Conte de l'île inconnue*, de Saramago.

— Pauvre Pedro Orce…

— Pauvre Pedro Orce, répondit Sıla.

La scène où un couple de femmes, par pitié pour la solitude de ce pauvre homme, faisait l'amour avec Pedro Orce m'était restée en mémoire comme l'une des plus puissantes que j'aie lues sur la question de la bonté.

Combien de personnes sur cette terre, à mon "pauvre Pedro Orce" auraient su répondre, comme elle, "pauvre Pedro Orce" ? Bien peu. J'avais trouvé l'une d'elles, mais je ne connaissais pas encore ma chance.

Dans la *Divine Comédie*, j'avais été marqué par l'histoire de ces amants que Dante rencontre en enfer, Paolo et Francesca, qui s'étaient épris l'un de l'autre en lisant un livre érotique, violant ensuite tous les interdits et acceptant leur condamnation à la géhenne. Moi aussi, chaque fois que je lisais un livre qui parlait d'amour en compagnie d'une femme, je m'imaginais que nous tomberions fous amoureux. C'était le plus grand amour qui puisse exister. Le "pauvre Pedro Orce" de Sıla venait de me le rappeler.

— Tu n'étais pas là hier soir ?

— J'ai fini tard à la fac, c'était trop juste, dit-elle. Toi aussi ça fait longtemps qu'on ne te voit plus…

— Ma mère était malade, je suis allé m'installer chez elle quelque temps, mais maintenant ça va mieux…

N'ayant pas le courage de lui proposer un rendez-vous, je me réfugiai derrière Shakespeare.

— *When shall we two meet again, in thunder, in lighting or in rain ?*

Elle éclata de rire.

— On n'est pas obligés d'attendre un temps si dramatique, tu sais, un ciel nuageux fera aussi bien l'affaire.

— Tu es libre ? Quand est-ce que je peux passer te prendre ? Un copain m'a prêté sa voiture.

— Dans deux heures je serai prête.

Nous roulions vers la côte. Le temps était couvert, la mer toute grise.

— Ça te dirait de trouver un restaurant de poisson en bord de mer ?

— Ils sont très chers, répondit-elle.

— Pas grave… Je n'ai pas touché à ma paie de la télé, il me reste un peu d'argent. On peut se permettre d'aller au restaurant.

— Ça serait irresponsable.

— Irresponsable par rapport à qui ?

— Pour toi-même…

— C'est ce qu'on t'a appris ?

Mes propres paroles m'étonnèrent. Je me métamorphosais en quelqu'un d'autre, un peu comme ces créatures des abysses qu'on voit dans les documentaires.

— C'est ce qu'on m'a appris, oui, dit Sıla d'une voix froide. Et toi, qu'est-ce qu'on t'a appris ?

— Bon, qu'est-ce qu'on fait alors ?

— Arrêtons-nous à un kiosque sur la promenade, on prendra des sandwiches et du thé pour pique-niquer dans la voiture.

Nous fîmes comme elle avait dit. Au milieu de son sandwich, elle m'interrogea franchement :

— C'était qui cette femme ?

— Quelle femme ?

— Celle avec qui tu étais l'autre soir à la télé.

— Ah, elle… Je la connais depuis mon enfance. C'est la sœur de l'ancienne couturière de ma mère.

J'avais vite appris à mentir. Et ça me faisait honte. Soit j'étais devenu un dépravé en un rien de temps, soit cette dépravation avait toujours été là, et les circonstances aidant, elle apparaissait maintenant au grand jour. Comme s'il suffisait d'un changement de décor pour que je me transforme à mon tour.

La mer ondulait devant nous.

— Ouvre la fenêtre, dit Sıla, qu'on sente un peu l'air de la mer… C'est une odeur que j'adore.

J'ouvris la fenêtre.

— Comment tu interprètes le fait que ces deux femmes aient couché avec Pedro Orce ? lui demandai-je.

Elle réfléchissait en plissant les lèvres.

— Tu te souviens de cette femme qui donne le sein à un homme affamé, dans *Les Raisins de la colère ?*

— Oui.

— Il me semble que c'est la même chose… Elles possèdent quelque chose qui peut consoler un malheureux, alors elles le lui donnent. Je crois que c'est ça, la bonté. Deux scènes inoubliables.

Je n'ai pas pu résister :

— "Quel corps superbe vous avez, scandai-je, qui rassasie la faim, qui console la solitude."

Elle me dévisagea comme un religieux regarde un impie qui se moque de son livre sacré, entre la gêne et la réprobation. Je préférai changer de sujet.

— Lors de la dernière émission, j'ai vu de nouvelles figurantes, très différentes du public habituel.

— Oui, j'en connais certaines depuis longtemps, répondit Sıla.

— Vraiment ?

— Oui… Ce sont des épouses d'anciens hommes d'affaires dont les entreprises ont été saisies, ou qui sont en prison.

Elle continua d'une voix inquiète :

— On dirait qu'ils veulent tous nous réunir dans cette cave… Pour faire quoi ? Mettre le feu, nous brûler vifs tous ensemble un beau soir ?

— Mais non, tu exagères.

— J'exagère peut-être mais je suis réellement inquiète. Je ne viendrai plus. L'autre jour, j'ai rencontré l'un de mes anciens profs, il cherchait quelqu'un pour l'aider à écrire son prochain livre… Il m'a demandé si ça m'intéressait.

— Il est au courant pour ton père ?

— Je lui ai expliqué la situation. Oh, moi je m'en fiche de ces histoires, je suis trop vieux pour avoir peur, il a répondu.

— Tu vas accepter ?

— Oui. De toute façon, la télé ce n'était pas pour moi.

L'entendre m'annoncer qu'elle ne viendrait plus fut un soulagement : je ne risquerais plus d'être coincé avec elle et madame Hayat au même endroit.

— Bien sûr, mieux vaut faire un travail qui te plaît vraiment.

Il commençait à pleuvoir.

— Ferme la fenêtre, dit-elle, j'ai froid.

Je fermai la fenêtre.

— On boit un autre thé ?

— Avec plaisir… C'est beau ici… La mer m'avait manqué…

Nous buvions nos thés en silence, le regard sur la mer.

— Quel est ton plus grand rêve ? lui demandai-je.

Elle plissa les lèvres, elle réfléchissait.

— Vivre une vie sûre, sans manquer de rien… C'est mon grand rêve, en ce moment, et à vrai dire le seul. Pour la suite on verra. Et toi, quel est ton plus grand rêve ?

— Être prof à l'université… Enseigner la littérature.

— Il est plus facile à réaliser que le mien.

— Certes… Mais j'aimerais vraiment. Tu connais monsieur Kaan et madame Nermin ?

— Pas directement, mais de nom, oui.

— Le cours de Nermin est demain, on y va ensemble ? J'aimerais beaucoup que tu l'entendes.

— D'accord. Je viendrai avec toi.

J'étais fou de joie, à mon grand étonnement.

Il pleuvait de plus en plus fort. Un lien spécial nous unissait, Sıla et moi, un lien solide fait de plaisirs partagés, d'un passé semblable, d'une passion commune pour la littérature, et surtout de toutes les catastrophes que nous avions vécues. Mais nous ne savions que faire de ce lien, nous n'arrivions pas à nous décider, rester amis, devenir le confident de l'autre, ou être amants. Cette indécision, croyais-je alors, était entièrement due à l'état de confusion dans lequel se trouvaient mes propres sentiments. Plus tard je lui dirais : "On en a mis du temps, avant de se décider…" Non, dirait-elle, "ce n'était pas la décision qui était dure à prendre, c'était de réussir à faire ça dans ta piaule". Je serais glacé par la trivialité calculatrice de son explication, qui niait l'instinct comme le plaisir, et comptait nos désirs pour rien. Mais ce monde labouré d'éclairs de neurones rebelles qu'on appelle les émotions est bien étrange, et ce qui me semblerait froid et mesquin d'un côté, m'exciterait puissamment de l'autre. Je voudrais briser cette froideur pour voir au fond d'elle. Mais ce jour-là, au bord de la mer, je ne sentais que la chaleur incendiaire de son bras qui frôlait le mien, songeant que cette chaleur, encore avivée par le feu de la littérature, me rendrait heureux. Elle savait aux moments les plus inattendus, tel celui-là, me révéler la tendresse et la douceur cachées sous ses airs de dureté par un mot, un regard, un frôlement, une larme parfois, et cela maintenait mon rêve en vie.

Sur le chemin du retour, je lui demandai encore :

— Si tu avais de nouveau de l'argent, qu'est-ce que tu achèterais en premier ?

Elle répondit sans une seconde d'hésitation :

— Du parfum.

— Du parfum ?

— Du parfum… Je ne suis pas tout à fait moi-même sans le parfum que j'aime.

Elle avait dit ça comme une petite fille qui répète ce que répète sa mère.

Je la déposai chez elle et rentrai à l'auberge. Après avoir garé la voiture, je passai chez l'épicier prendre une miche de pain, du fromage et une canette de bière, que j'emportai directement dans ma chambre. Le moment de solitude étouffante était passé. Madame Hayat me manquait toujours, mais le temps passé avec Sıla m'en avait un peu guéri. Elles ne se ressemblaient pas du tout, elles avaient même des caractères radicalement opposés. Je me souvenais d'une tirade de madame Nermin : "Une œuvre littéraire doit éviter les oppositions trop marquées, elles sont vulgaires… Ou alors, si vous voulez camper des personnages absolument antagonistes, vous devez faire de cet antagonisme une totalité signifiante."

La perspective de retrouver Sıla le lendemain matin m'avait redonné de la sérénité. Se mettre au lit le soir en sachant que le lendemain on pourra se confier à quelqu'un, cela change tout. Ma curiosité pour madame Hayat, où elle était, ce qu'elle faisait, n'avait pas disparu, mais elle s'était atténuée par rapport à la veille. Mes sentiments étaient versatiles. Je me sentais comme une sorte de grand bâtiment dont les fondations se seraient effondrées lors d'une violente secousse ; rien ne tenait plus droit, tout menaçait de s'écrouler. J'entendais des craquements dans ma tête.

Je sortis sur le balcon pour regarder la rue. La foule n'était plus qu'un souvenir, comme si de jour en jour le nombre de gens qui venaient s'amuser dans ces rues diminuait inexorablement, systématiquement. Je me déshabillai, cette fois, et m'endormis.

Le lendemain matin, je partis sans petit-déjeuner. Sıla monta dans la voiture, deux petits pains à la main.

— Je t'ai pris des brioches, dit-elle.

Nous roulions sans parler, mangeant nos brioches fourrées au fromage, chaudes, délicieuses. Elle était très belle. Sa beauté m'émouvait et m'enthousiasmait autant que la lecture d'un bon roman, je ressentais une sorte de gratitude.

La salle était bondée, comme d'habitude. Nous nous installâmes côte à côte aux derniers rangs. Quand madame Nermin entra, Sıla se pencha à mon oreille :

— Très chic, ses chaussures.

Tripotant les branches de ses lunettes, madame Nermin commença :

— Tels des animaux doués de sens inconnus des hommes, les écrivains perçoivent ce que nous ne percevons pas, des sons pour nous inaudibles, des odeurs que nous ne sentons pas, et encore, sous-jacents ou sus-jacents à ce système sensoriel qui leur est propre, une multitude d'autres faits et de sentiments, ainsi que ces désirs qui sont tapis, frustes et redoutables, dans les ténèbres qu'on appelle l'inconscient. Mais d'un autre côté, ils font preuve de déficiences étonnantes, totalement incapables de voir ce que nous voyons sans peine, de comprendre ce que nous comprenons du premier coup, de sentir ce que nous sentons, enfin de percevoir certaines réalités de base dont nous sommes, nous, gens ordinaires, parfaitement familiers.

Elle balaya la salle du regard.

— En somme, ce sont les choses les plus simples, les plus évidentes, qui peinent le plus à se frayer un chemin jusque dans l'esprit des écrivains… Ce paradoxe étrange change tout, la réalité comme l'existence. Grâce aux écrivains, nous voyons dans la littérature ce qui dans nos vies nous échappe. Et en retour nous, lecteurs, témoins de leur incapacité à vivre une existence normale, pardonnons aux écrivains leur puissance créatrice, dans un mélange ambigu d'admiration et de sourde colère. Les biographies d'écrivains, qui nous fournissent tant d'exemples de ce paradoxe touchant, et du reste fascinant, permettent ainsi au lecteur d'amnistier l'auteur, voire de se sentir supérieur à ce dernier.

Elle s'assit sur le bureau, croisant les jambes d'un geste enlevé.

— Le célèbre poème de Baudelaire "L'Albatros" demeure l'une des plus belles formulations de ce complexe... Cet oiseau aux ailes immenses, ce "prince des nuées", si majestueux quand il vole dans les airs, à peine le dépose-t-on sur le pont d'un navire au milieu des hommes qu'il devient ridicule, maladroit et honteux.

À la fin du cours, je demandai à Sıla si elle voulait déjeuner à la cantine avec moi.

— C'est cher, dit-elle.

Je n'arrivais décidément pas à savoir si elle insistait autant sur son manque d'argent pour prendre une sorte de revanche sur la pauvreté, ou bien parce qu'elle était vraiment dans une situation financière désespérée.

Je ne voulais pas la voir partir. Il n'y avait pas d'émission de télé ce soir-là et la perspective de passer la soirée seul m'effrayait.

— Et si on allait au cinéma ? lui demandai-je.

— Au cinéma ?

— Oui.

Elle réfléchit une seconde, puis s'exclama "oui, allons-y !", sur un ton qui laissait penser qu'aller au cinéma était une sorte de suprême luxure.

— Ça fait si longtemps que je n'y ai pas été...

En chemin, je lui demandai comment elle avait trouvé madame Nermin.

— Elle parle bien, répondit Sıla. Elle a une espèce d'arrogance, comme si elle se considérait au-dessus de tout le monde, même des écrivains, mais elle arrive à transformer cette arrogance en quelque chose de réellement stimulant. Je vais relire "L'Albatros" en rentrant chez moi…

Nous avions choisi un cinéma situé dans un centre commercial. Sıla montait les escaliers à toute allure, sans un œil pour les vitrines des boutiques, tandis que je peinais à la suivre, étonné par sa précipitation à gagner le dernier étage.

— Quel film on va voir ?

— N'importe lequel, répondit Sıla. Il n'y en a aucun qui me tente plus que les autres… Prenons des billets pour la prochaine séance, on verra si on a de la chance.

Je pris deux billets au tarif étudiant. Au moment où le film commençait, elle sortit une paire de lunettes de son sac ; je ne l'avais jamais vue avec des lunettes. C'était un film d'action. Elle suivait avec beaucoup de sérieux, son bras frôlait le mien. Je me tournais de temps en temps pour la regarder. À l'entracte, je lui demandai si elle voulait qu'on achète du pop-corn.

— Si ce n'est pas trop irresponsable… ajoutai-je.

Elle retira ses lunettes pour me regarder en face.

— Ne te moque pas de moi, s'il te plaît, murmura-t-elle.

Nous avions le même âge, nous venions d'un milieu comparable, nous avions reçu une éducation semblable, nous lisions les mêmes livres, et pourtant je n'aurais jamais pu dire "ne te moque pas de moi" avec autant d'élégance, autant de sévérité et de charme à la fois. J'eus envie de l'embrasser. Elle m'intimidait, je ne savais pas pourquoi mais elle m'intimidait, elle me faisait peur, d'une façon pourtant très douce, très sensuelle, attirante.

Elle remit ses lunettes pour la seconde moitié du film, mon bras frôlant toujours le sien, parfois mon épaule. J'ignorais si elle sentait aussi ces contacts répétés ; moi, en tout cas, je les sentais. À la fin du film, nous redescendîmes lentement les grands escaliers, traversant en sens inverse le centre commercial qui paraissait maintenant désert.

Au rez-de-chaussée, nous tombâmes nez à nez avec une boutique de chocolat et de confiseries d'une marque très célèbre, dont les présentoirs étincelaient comme la vitrine d'un bijoutier. Elle s'arrêta net, les yeux fixés sur les merveilles en vitrine. Disposés sur des plateaux d'argent, il y avait des orangettes de la taille d'un doigt, des marrons déguisés à la pointe saupoudrée d'éclats de pistache, des madeleines rebondies, des pralines en forme de coquillages, des fondants à la confiture de griotte dans leur glaçage rouge étincelant, des dragées au raisin comme des perles noires…

— Lesquels tu aimes le plus ? demandai-je.

— Tous ! Mais ce sont sans doute les orangettes que je préfère par-dessus tout.

— J'en demande cent grammes ?

Elle ne dit rien. J'allais entrer dans la boutique quand j'entendis dans mon dos :

— Prends aussi deux marrons déguisés.

À l'intérieur, je demandai cent grammes d'orangettes au serveur placé derrière un comptoir recouvert d'un velours très chic, rouge rayé de bleu marine. L'homme sortit un sachet d'une des boîtes ciselées derrière lui, il enfila un gant en nylon et commença à mettre une à une les orangettes dans le sachet. Au moment où il le refermait, je lui demandai de rajouter deux marrons. Il me regarda d'un air las, rouvrit le sachet et y plaça les marrons déguisés. Je donnai le sachet à Sıla en sortant. Elle le tenait délicatement entre ses deux mains, comme une chose fragile et précieuse. Un sourire de petite fille illuminait son visage, je ne l'avais jamais vu sourire ainsi, je ne l'avais jamais vue aussi heureuse.

La voiture était garée dans le parking souterrain du centre commercial. Avec la lumière blafarde de ses néons, ses alignements de pilastres de béton entre lesquels les voitures garées paraissaient des sarcophages, l'endroit évoquait une nécropole enfouie d'avant l'histoire. Une étrange sensation m'envahit au moment de mettre le contact. Je me tournai vers Sıla ; elle pleurait.

— Qu'est-ce qu'il se passe ?

— Rien, ça va.

— Tu es sûre ?

Elle éclata brusquement en sanglots.

— Parfois je craque, je n'en peux plus, dit-elle en hoquetant, je ne supporte pas de me sentir aussi heureuse à cause de cent grammes de chocolat.

Je ne savais pas quoi dire.

— Excuse-moi, dit-elle en essuyant ses larmes, allez viens, partons d'ici.

Une fois sortis du parking, elle me tendit le sachet.

— Non merci, c'est pour toi. Je ne suis pas si fou de chocolat, tu sais.

Elle prit une orangette du bout de ses longs doigts. Elle en croqua l'extrémité, puis elle mâcha lentement, savourant son plaisir. Elle me tendit la tige de chocolat entamée.

— Vas-y, croque, c'est délicieux.

J'ai croqué, il y avait une éternité que je n'avais plus mangé de chocolat, et c'était délicieux, en effet.

Elle avala le bout restant, puis lécha doucement la pointe de ses doigts.

Croquer chacun son tour dans le même morceau de chocolat, cet acte d'une intimité sublime, que seuls deux êtres très proches peuvent connaître, c'était comme faire l'amour, et j'étais soudain tout excité, autant que si je l'avais vue nue. Mordre cette orangette, c'était comme s'embrasser, s'enlacer, se prodiguer une chaleur secrète, profonde, puissante. Je sentais un immense désir pour elle, une attirance animale qui me brûlait le bas-ventre, et en même temps, sans aucun rapport avec ce désir, un amour plein de douceur et de tendresse. Une simple friandise en chocolat avait réussi à me rendre amoureux.

Je me concentrais sur la route.

Jamais auparavant un geste comme celui-là, aussi bref et insignifiant, n'avait suscité en moi une émotion si violente, mais avec ma solitude qui grandissait, les émotions aussi gagnaient en ampleur, elles se gonflaient tels de lourds nuages de pluie, errant au gré des vents dans l'espace infini de la solitude, sans connaître leur direction ni savoir quand s'arrêter.

On approchait de chez elle.

— Qu'est-ce que tu fais demain ? lui demandai-je.

— J'ai cours, demain et après-demain. Mais ensuite je serai libre.

— Alors je t'appelle.

Au moment de descendre, elle se pencha vers moi et m'embrassa au coin des lèvres. Sa bouche était chaude, elle avait un goût de chocolat.

VI

Levé de bonne heure, je descendis chez l'épicier chercher mon pain habituel et du fromage en tranches. Une fois remonté dans la cuisine, je posai le pain dans une assiette sur la table. Je me préparais un thé quand j'entendis la voix de Gülsüm dans mon dos.

— C'est à qui le pain ?

Je me retournai pour lui répondre :

— À moi.

Avec sa minijupe qui lui moulait les hanches, son haut de survêtement lilas ouvert sur la moitié de sa poitrine en haut et remonté jusqu'au nombril en dessous, ses talons pointure quarante-quatre, là-dessus sa chevelure noire frisée et à moitié teinte en blond, son maquillage légèrement dégoulinant qui lui faisait comme un masque violet autour des yeux, et ses lèvres peinturlurées de rouge brillant, il ressemblait à un vaisseau spatial du siècle dernier échoué au milieu de la cuisine. Comme d'habitude, le voir me procurait un léger frisson.

— *Hayallah*, dit-il, je me suis dit quelqu'un l'a oublié, je crève la dalle.

— Prends-en la moitié. Tu veux du thé aussi ?

— Oh oui, *vallah*.

Il découpa le pain en deux et se mit à manger. Je revins avec le thé et m'assis en face de lui. Entre deux bouchées de fauve, il parlait :

— Ils m'ont crevé jusqu'au matin, *vallah*. M'ont cassé, les deux mecs. Des entrepreneurs, dans le bâtiment. Viennent d'entrer dans le métier. Ça a du fric, ces mecs-là. Il a dégusté, le tapin. Jusqu'au matin ils m'ont fourré leur fric.

Il se mit à rire.

— Mais bon, ils paient bien. Je suis bousillé de partout mais ça valait le coup, *vallah*. Ils reviendront.

Il sentait l'alcool et paraissait encore soûl. Au-delà de la grossièreté effrontée de son langage, il y avait dans sa voix quelque chose comme la joie innocente d'un gamin pauvre qui vient de trouver un gros billet dans la rue, quoique cette innocence, qu'on sentait affleurer un mot sur deux, la seconde d'après pouvait se transformer en agressivité insolente, ce dont j'avais été plusieurs fois témoin. Notamment un jour où il avait offert du chocolat à Tevhide ; comme tout le monde il aimait beaucoup la gamine, mais son père, Emir, qui ne voulait pas que sa fille mange des sucreries, l'avait arrêté :

— Tevhide ne mange pas de chocolat.

Et la gentille tantine s'était métamorphosée tout à coup en mégère acariâtre, il s'était mis à foncer droit sur Emir en hurlant :

— Quoi, je suis pas assez bien pour offrir du chocolat à ta gamine, c'est ça, hein, c'est ça ?

Heureusement, Tevhide avait lancé :

— Ben dis donc, tu démarres au quart de tour, Gülsüm ! et la mauvaise scène avait été stoppée de justesse par un immense éclat de rire.

— Je peux te demander un truc ? dis-je en tremblant un peu.

— Vas-y demande, même si en général celui qui
dit je peux te demander un truc, c'est une question
tordue qu'il a derrière la tête, mais bon vas-y… Tu
veux savoir quoi ?

J'allais lui demander ce que ça faisait de transpor-
ter dans un seul et même corps à la fois les élans d'un
homme et ceux d'une femme, comme dans un couple
ils peuvent s'aimer, se désirer, se provoquer, et cetera,
mais j'eus peur que ce soit justement le genre de question qu'il appelait "tordue", et je me dépêchai d'en trouver une autre qui me passait par la tête à ce moment-là.

— Pourquoi les hommes viennent vous voir vous,
plutôt que des femmes ?

— Les mecs nous veulent parce qu'on sait exactement ce qu'ils aiment, on les fait kiffer… Ce que
leurs bonnes femmes savent pas leur donner, nous
on leur donne.

Puis, pour changer de sujet, je lui demandai :

— C'est quoi ton plus grand rêve, Gülsüm ?

Il répéta :

— Mon plus grand rêve ?

— Oui, ton plus grand rêve.

Alors il posa les coudes sur la table, et d'un air très
sérieux :

— Aller voir le derby au stade.

— Un match de foot ?

La surprise se lisait sur mes traits, il s'énerva d'un
coup.

— Eh quoi, est-ce qu'il y a pas des gonzesses dans
les stades ? Pourquoi j'irai pas moi ?

Je marmonnai quelque chose du genre "non, non, ce
n'est pas ce que je voulais dire…", puis je demandai :

— Mais il n'y a pas quelqu'un qui te fait rêver, une personne que tu aimes ?

Ses traits se plissèrent, entre la colère et le chagrin.

— Si, il y a l'autre bestiasse là… Un cuistot, il travaille dans un des restaurants du quartier. Dès qu'il a picolé, viens Gülsüm, viens… Puis on charbonne jusqu'au matin derrière le restau. Tu m'aimes je lui dis, oui je t'aime, je t'adore Gülsüm. Puis quand il a fini son affaire, plus de nouvelles jusqu'au prochain appel à la prière. Le matin tout le monde aime tout le monde, même se faire descendre de l'homme. Mais il est où cet homme-là, hein ? Fous-moi à quatre pattes, puis va te faire enc… Vous êtes tous pareils.

Ce matin-là, dans la cuisine, je découvrais une langue nouvelle, une langue où tous les mots prenaient un sens radicalement différent de celui que je connaissais.

— Mais pourquoi tu me gueules dessus à moi ? dis-je. Pourquoi tu t'enflammes comme ça ?

J'avais lancé ça avec une espèce de crainte de débutant, comme un enfant qui balbutie ses premiers mots, mais Gülsüm, familier de ce vocabulaire, n'avait fait que les entendre, il n'avait pas remarqué le tremblotement d'inexpérience dans ma voix, sans doute aussi parce qu'il était ivre. Il se mit à rire.

— C'est vrai que je gueule, putain. Mais c'est à cause de l'autre salaud, ça me fait toujours ça quand je parle de lui. Il me manque, mon petit salaud, il me manque et je le déteste…

On arracha chacun un gros morceau de pain au même moment.

— C'est dangereux ton boulot ?

— Bien sûr que c'est dangereux… Comment ça serait pas dangereux ? Tu vas au pieu avec des types

que tu connais pas, si c'est des gentils ou des cre-
vards t'en sais rien, puis t'as le dos tourné, si le mec
te sort un couteau par-derrière t'auras même pas le
temps de le voir…

Il avait fini son bout de pain, il se leva.

— Merci pour le pain. Je vais me pieuter. Je suis
crevé…

Au moment où il quittait la cuisine, il croisa le
Poète sur le pas de la porte, et je vis son sourire
d'ivrogne aussitôt s'effacer pour laisser place à une
expression de profond respect, du genre de celles
qu'on sert au grand homme qu'on admire.

— Comment vas-tu Gülsüm ? dit le Poète en lui
tapant sur l'épaule.

— Très bien, *abi*, je rentre du boulot, je vais me
coucher.

— Alors fais de beaux rêves ! lança le Poète en
s'approchant du samovar, puis il se retourna et
ajouta en riant :

— Tu traverses toujours pas la cour ?

Gülsüm le regardait en baissant un peu les yeux,
de honte.

— Non *abi*, toujours pas… Je peux pas, mon cœur
va sauter.

— Un jour on y passera tous les deux, répondit le Poète.

Quand Gülsüm fut parti, voyant que je le regardais d'un air étonné, le Poète me donna l'explication :

— Tu vois la petite mosquée au bout de la rue ?

— Oui, je vois.

— Eh bien, tout le monde traverse la cour de
la mosquée, ça fait un raccourci pour arriver ici,
sauf Gülsüm, lui il fait un long détour jusqu'à la

place avant de revenir, il croit que s'il passe par la mosquée il sera foudroyé sur place, il pense que sa condition de pécheur lui interdit de s'approcher de la mosquée.

Je demeurai stupéfait.

— Gülsüm est croyant ?

— Pourquoi pas, il n'a pas le droit d'être religieux ?

J'avais honte de ma question. Le Poète riait :

— Il croit que Dieu prend les hommes au sérieux.

Je ris à mon tour.

— Eh, il ne les prend pas au sérieux ?

— À quoi bon, ça fait longtemps que Dieu regrette sa création, il essaie d'oublier, je suis sûr qu'il a déjà arraché cette page de son cahier et l'a jetée à la poubelle.

Il avait fini son thé, il lavait et séchait son verre.

— Que sont devenus les jeunes que la police a emmenés ?

— Ils les ont gardés en prison.

— Pour quel motif ?

— Ils le trouveront le motif, qui est innocent ?

Au moment de partir, il se retourna une dernière fois :

— Enfin bref, il faut que j'y aille, mais un de ces jours on prendra le temps de discuter.

J'étais d'accord.

Je ne connaissais des hommes que ce que les romans savaient en faire surgir de sous l'infini tissu de l'humanité. Les hommes ne m'apparaissaient que sous les feux scintillants de la littérature. Or pour la première fois de ma vie, je voyais les hommes et leur psyché sous une tout autre lunette, à la lumière de leurs ombres, et je me rendais compte que je n'y connaissais rien. Jamais, par exemple, je n'aurais pu même rêver que le plus grand souhait de Gülsüm était d'aller assister à un match de football au stade. Mais ce qui m'étonnait le plus chez lui, c'était que celui qu'il tenait pour le plus coupable de ce qu'il avait vécu et vivait encore, de ce métier qu'il était obligé d'exercer pour survivre, des dangers auxquels il s'exposait chaque jour, ce n'était pas ce Dieu à la Création duquel il croyait, mais lui-même, Gülsüm. Plus tard, quand Gülsüm fut poignardé, alors que je lui rendais visite à l'hôpital avec Bodyguard, nous le vîmes s'accuser non seulement du crime dont il avait été victime, mais de tous les malheurs semblables, et croire qu'on l'avait puni lui, Gülsüm, pour ce qu'il était et ce qu'il aimait. Il pleurait et s'essuyait les yeux avec un bout du foulard noué dans ses cheveux. Moi qui ne l'avais jamais touché, je lui tenais la main. "Ne pleure pas, Gülsüm, ne pleure pas." Bodyguard à son tour, sans doute moins tourmenté que moi par un flot de sentiments et d'émotions contradictoires, très vulgairement mais avec plus de chaleur, lui lança : "Tu déchires, Gülsüm, tu déchires grave !" Peut-être que j'aimais plus les gens que Bodyguard, mais cet amour de principe ne faisait qu'affaiblir une franchise et une spontanéité déjà abîmées par les idées, les jugements intempestifs, toute une série de préjugés accusateurs.

Un jour qui nous rapprochait de l'événement tragique dont je parlerai plus tard, je retrouvai le Poète dans un bistrot du trottoir d'en face. Il buvait, écœuré et révolté par ce qui était arrivé à Gülsüm.

— Aimer les gens, quel grand mot, disait-il. Mais il ne s'agit pas de les aimer, il s'agit de réunir ensemble tous les pauvres gens, les perdus, les opprimés, afin de trouver une solution collective au malheur des hommes.

D'ordinaire plutôt silencieux sur ce genre de sujets, Emir répliqua de sa voix posée :

— L'histoire nous prouve que si les hommes ont toujours exprimé un désir de cet ordre, il leur a toujours manqué la volonté nécessaire pour le réaliser. Quoi qu'ils fassent, ils retombent toujours dans le piège du mal. Le piège est là, grand ouvert. Montrez-moi une seule société heureuse depuis l'invention de l'agriculture.

— Tu proposes qu'on revienne aux tribus de chasseurs-cueilleurs, c'est ça ? dis-je en riant.

— Si la possibilité se présente, moi j'opte pour les cavernes.

Le Poète redevint sérieux :

— Votre subconscient de classe cherche dans le passé des échappatoires qui ne font que légitimer le système du monde actuel.

Mais il en fallait plus pour ébranler Emir :

— Et toi, avec ton subconscient de classe, tu fuis le monde actuel pour te réfugier dans le futur. À la fin, nous essayons tous de nous affranchir du présent. Certains se tournent vers le passé, d'autres vers l'avenir, parce que tous désemparés face aux malheurs d'aujourd'hui.

— Donc si je comprends bien, nous fuyons tous, dis-je pour conclure.

Tevhide, qui jusque-là semblait surtout absorbée par la côtelette dans son assiette, releva soudain la tête et dit :

— Où est-ce que vous fuyez ? Moi aussi je veux m'enfuir.

Le Poète lui caressa la tête :

— Ne t'enfuis pas, ma petite Tevhide, reste, au moins toi, reste.

Nous ne savions pas que nous étions au bord de l'abîme, mais chacun essayait déjà, dans son style bien à lui, de s'accrocher aux autres. Il suffisait d'une seconde de relâchement pour que l'un de nous sombrât dans le précipice ; nous l'ignorions encore. Le Poète nous racontait des histoires drôles, Tevhide riait de nous tous.

Lorsque je racontai nos discussions à madame Hayat, elle me rétorqua aussitôt, comme si elle avait déjà passé en revue la question : "Les hommes peuvent tout changer, sauf eux-mêmes. C'est la seule chose qu'ils sont incapables de transformer. Tel est leur malédiction."

Quand j'en parlai avec Sıla, elle me rappela les paroles de monsieur Kaan : "Si le désir de possession est intangible, comment les hommes pourraient-ils évoluer… La littérature ne nous raconte-t-elle d'ailleurs pas les impasses de cet impossible changement ? Ce doit être ça que ton ami Emir appelait le piège du mal."

Je restai un moment dans la cuisine après le départ de Gülsüm et du Poète, le temps de boire un nouveau thé, puis je sortis dans la rue. C'était une belle journée ensoleillée. On tournait une émission dans la soirée, Sıla ne viendrait pas, c'était sûr, quant à madame Hayat je n'en savais rien. Si elle n'était pas là ce soir, ça voulait dire qu'elle ne viendrait plus jamais.

Je me rendis au passage des libraires avec l'idée d'y trouver *La Vie des fourmis*. Le passage était désert. Je m'approchai de la boutique du bouquiniste qui m'avait offert les trois fermiers : c'était fermé. Les vitrines étaient recouvertes de papier journal. Dans tout le passage, il n'y avait plus que trois boutiques ouvertes. J'entrai chez le premier venu pour lui demander s'il avait le livre.

— Il y a bien longtemps qu'on ne me l'a pas réclamé, dit-il. L'ouvrage n'a pas été réédité. Très difficile de se le procurer. Autrefois je l'aurais trouvé, on n'aurait pas fermé avant d'avoir mis la main dessus, mais maintenant pensez-vous, ils vont tout démolir, dès demain.

Je sortis. Avant j'aimais la solitude, à présent elle m'ennuyait profondément. Je flânais dans les rues. Toute la ville semblait souffrir de solitude, c'est l'impression que j'eus. Je revins chez moi en début de soirée. Je feuilletai un peu mon dictionnaire de la mythologie ; les dieux, quand ils voulaient sauver quelqu'un, l'enlevaient en "l'arrimant aux nuages", et moi aussi j'aurais aimé qu'on m'enlève, ou que les trois fermiers m'emmènent au bal. Je m'endormis en pensant à eux. Puis je me réveillai en sursaut, craignant d'avoir manqué le début de l'émission du soir, mais elle commençait tard, j'avais encore le temps de m'y rendre à pied.

Le programme avait à peine débuté. En entrant dans l'obscurité lumineuse, je jetai un œil sur la scène : madame Hayat était là, à sa place habituelle, dans sa robe couleur de miel. Je repris longuement mon souffle, emplissant tous mes poumons d'air, de joie et de soulagement, comme si depuis son absence et jusqu'à cet instant je n'avais pas respiré une seule fois. Son visage apparut une seconde sur l'écran, plus tard ce fut le mien que je découvris, un visage triste, austère, ce qui m'étonna beaucoup car je me sentais d'humeur joyeuse.

Une chanteuse aux cheveux courts, vêtue d'une robe jaune ornée de motifs noirs, chantait sur scène des airs dansants, et madame Hayat, comme tout le public, mais avec plus de beauté et en y prenant plus de plaisir que personne, dansait en chœur. Elle bougeait son corps avec une grâce inouïe.

À la pause, elle descendit du plateau pour me rejoindre.

— Comment vas-tu, beau Marc Antoine ?

— Bien, merci, et vous ?

— Très bien, allez viens, sortons.

Nous étions dans le couloir. Il était bondé. Nous trouvâmes quand même deux chaises pour nous asseoir côte à côte.

— Ne file pas après le programme, on ira dîner, dit-elle.

— D'accord.

À ce moment-là, le silence se fit, un silence improbable, tout le monde se taisait en s'écartant contre les murs pour dégager le passage. Un homme descendait les escaliers, en smoking, de taille moyenne, large d'épaules, les sourcils froncés, suivi par deux personnes habillées de couleurs vives, très grandes. Passant à notre hauteur, l'homme remarqua madame Hayat. Il s'arrêta :

— Hayat, comment vas-tu ?

— Très bien, répondit-elle, et toi ?

Leur façon de se saluer était si polie, si distanciée, que je me dis que seuls deux êtres qui avaient été très proches à une époque étaient capables de se saluer ainsi. La cordialité avec laquelle ils s'étaient salués ne correspondait pas à la prudence perceptible dans leur voix, et ce drôle de mélange, pensai-je alors, ne pouvait se rencontrer que chez deux personnes qui avaient partagé des moments d'une grande intimité, avant de tourner la page. Il n'y avait pas besoin d'expérience particulière pour le deviner, c'était criant, on le remarquait tout de suite.

Ils ne se dirent rien d'autre. L'homme continua son chemin avec son escorte.

— Qui est cet homme ?

Elle me répondit froidement :

— Tiens-toi à distance de lui.

Je compris que c'était l'homme qui lui avait trouvé ce travail à la télévision. Une colère sourde montait en moi, sans raison ni but identifiables.

La soirée terminée, j'attendis que madame Hayat se changeât. Nous quittâmes le studio tous les deux.

— Je n'ai pas amené la voiture, dis-je, elle est garée dans une rue près de là où j'habite. Si vous voulez nous pouvons marcher tous les deux jusque là-bas, ou bien je vais la chercher seul puis je passe vous prendre.

— Laisse-la où elle est, c'est mieux, de toute façon on ne trouvera pas de place à cette heure, alors ne nous embêtons pas.

Après quelques mètres, elle s'arrêta :

— On peut manger chez moi si tu veux. Je prépare quelque chose. Ou tu préfères dîner au restaurant ?

— Allons chez toi, répondis-je, sur un ton agacé, comme si ma voix, indépendante de moi, en voulait à madame Hayat.

On prit un taxi. Une charcuterie était ouverte, en haut de la rue en pente où elle habitait. Elle fit s'arrêter le taxi.

— Viens, dit-elle, on va s'acheter de quoi dîner ici, j'ai la flemme de cuisiner.

Le commis nous accueillit par un sonore :

— Bonsoir madame Hayat, comment allez-vous ?

— Très bien, merci, mais pourquoi vous êtes encore ouverts à cette heure ?

— J'attends une livraison, et entre-temps j'ai préféré rester ouvert, au cas où des clients tardifs passeraient.

— Comment vont les affaires ?

— C'est assez morne, rien à voir avec les chiffres qu'on faisait autrefois. Les gens n'ont plus d'argent, et ceux qui en ont s'y agrippent farouchement, vu les circonstances ; tout le monde a peur du lendemain.

On comprenait tout de suite que madame Hayat ne faisait pas partie de ces peureux-là. Elle dépensa sans compter : salami hongrois, blanc de dinde en tranches, pastrami, salade russe, houmous, moules farcies, une bonne bouteille de vin… Le paquet était énorme, j'avais du mal à le porter.

— Nous avons sauvé le commerce ! dis-je en sortant.

Elle me regardait en essayant de deviner où je voulais en venir.

— Le monsieur a dit que tout le monde avait peur de dépenser, mais vous, à l'évidence, vous ignorez cette peur-là.

— Je n'aime pas la peur, elle m'ennuie.

— Mais quand on n'a pas d'argent…

— Je sais ce que c'est de ne pas en avoir, Marc Antoine. Quand on a de l'argent, on le dépense, quand on n'en a pas, on s'en passe. En ce sens, vouloir vivre richement quand on est sans le sou est aussi stupide que de vivre pauvrement quand on a de l'argent. Le jour où on n'en a plus, alors on se creuse la tête. Pour l'instant j'en ai, j'en profite.

— N'est-ce pas trop tard de se creuser la tête quand on n'a plus rien ? Le calcul, ça existe.

Nous étions arrivés devant son immeuble. Elle me regardait avec un sourire moqueur.

— Tu veux que j'aie peur, c'est ça ?

— Oui.

— Et pourquoi ?

— Ça ne fait pas de mal d'avoir un peu peur.

Elle reprit son sérieux.

— La peur est toujours mauvaise.

Puis elle sourit de nouveau :

— N'aie pas peur, Marc Antoine… Il ne faut avoir peur de rien dans la vie… La vie ne sert à rien d'autre qu'à être vécue. La stupidité, c'est d'économiser sur l'existence, en repoussant les plaisirs au lendemain, comme les avares. Car la vie ne s'économise pas… Si tu ne la dépenses pas, elle le fera d'elle-même, et elle s'épuisera.

En sortant de l'ascenseur, elle ajouta :

— Tu dois voir le monde en imaginant le tremblement de terre. Tout retourne au désert, l'argent à la poussière.

Je sentais son parfum de lys. Elle m'invita à l'attendre au salon pendant qu'elle se changeait.

Elle reparut dans sa petite tenue de plage, ses sabots noirs aux pieds. Ses seins et ses hanches bougeaient librement, je devinai qu'elle était nue sous sa tunique. J'avais soudain tout oublié, la peur, l'argent, le monde, je ne voyais plus que les souvenirs incendiaires des moments passés avec elle. La vie ne servait à rien d'autre qu'à être vécue, et moi, en cet instant, il n'y avait plus qu'une seule chose qui me faisait vivre, pour laquelle je voulais vivre, et j'aurais fait une croix sur tout le reste pour pouvoir la vivre…

Elle avait vu comme je la regardais.

— Tu n'as pas faim ?

— On peut manger après…

Ah, son sourire, ce sourire satisfait et narquois… Il rayonnait partout, il me touchait au cœur.

— Dans ce cas…

Elle s'en alla vers la chambre à coucher.

Je compris en l'embrassant à quel point elle m'avait manqué. Rien ne me rendait plus fou, plus heureux que de la sentir contre moi et de lui faire l'amour. Et à l'instant où je la prenais dans mes bras et qu'elle me serrait contre elle, j'ai su qu'elle avait raison : rien ne méritait qu'on ait peur, il ne fallait avoir peur de rien. Pas besoin de le dire, notre étreinte me l'avait fait comprendre.

Entre ses bras, contre son sein, la peur et l'angoisse, le passé et l'avenir s'évanouissaient, il n'existait plus qu'une solitude peuplée de lumière, une obscurité lourde de désir. Là je grandissais, je vieillissais, je mûrissais, j'oubliais tout. Mes peurs revenaient dès que je m'éloignais d'elle, le temps reprenait de l'ampleur, gonflant mes angoisses et mes peines, mais chaque fois, ce que j'avais vécu et ressenti avec elle ajoutait une pièce d'or au trésor que sa mémoire formait dans un coin de mon esprit.

Nous dînâmes en pleine nuit. J'étais affamé. Tout était délicieux. La lampe articulée diffusait sa douce lumière d'ambre. Après avoir bien mangé, et bu un peu de vin, je lui posai la question qui me tourmentait depuis des jours.

— Pourquoi tu m'as chassé ?

Elle était désarçonnée.

— Je t'ai chassé ?

— Et quoi alors ? Qu'est-ce ça veut dire, va-t'en vivre ta vie ?

Elle me prit la main.

— Je n'avais jamais imaginé que tu le prendrais comme ça, dit-elle. Quelle idiote… Tu n'allais plus en cours, tu n'allais plus travailler, tu aurais fini par trouver que ton avenir était en danger à cause de moi, et tu m'en aurais voulu. Tu aurais été dégoûté de moi… Je ne voulais pas que tu puisses m'en vouloir, je ne voulais pas te dégoûter de moi. Quand on est ensemble je veux que tu ne penses qu'à moi, qu'il n'y ait rien qui te tracasse et que tu regrettes ensuite.

Elle s'interrompit.

— Mais pourquoi tu ne m'as rien dit ce matin-là ?

— Parce que j'étais très en colère.

Elle s'assit sur mes genoux et m'embrassa sur la bouche.

— Ce que tu es bête, Marc Antoine…

Puis elle redevint sérieuse.

— La prochaine fois, parle-moi avant de te mettre dans ces états-là.

Elle éclata de rire, posant sa bouche contre mon oreille, ses cheveux ruisselant sur mon visage.

— Car non seulement tu es bête, mais en plus tu t'imagines des choses fausses et tu prends les mauvaises décisions.

On débarrassa la table. J'étais heureux. Comme d'habitude ces derniers temps, mon humeur avait changé du tout au tout en quelques instants. J'étais balancé d'un extrême à l'autre de mes émotions comme une vulgaire pelote de laine.

Au moment du café, je lui posai une nouvelle question d'ordre général, mais qui visait cet homme croisé dans le couloir de la télévision, une rencontre que ma fierté n'avait toujours pas digérée.

— Selon quels critères un homme te plaît, comment tu mesures ton attirance pour quelqu'un ?

— Mesures, critères… On est dans le bâtiment, tu veux la facture ? Certains hommes me plaisent, c'est tout.

— Lesquels ?

— Je n'en sais rien… Je n'ai jamais réfléchi à la question.

— Jamais ?

— Non, jamais. Tu veux un autre café ?

Pendant que nous le buvions, elle alluma la télévision. C'était la fin d'un documentaire animalier, on suivait un mille-pattes lumineux dans la forêt amazonienne. La bestiole avançait en scintillant, comme un train miniature lancé dans la nuit à travers la steppe, puis il s'éteignait dès qu'il voyait un insecte appétissant. Une fois l'insecte attrapé et avalé, il rallumait ses lumières.

Elle se leva pour aller chercher quelque chose dans le fond de l'appartement ; je la regardais par-derrière. Sa jupe moulait ses hanches. Elle avait enlevé ses sabots et marchait sur la pointe des pieds. Je me souvins d'une phrase d'Hésiode, dans un livre où il parle des "déesses aux beaux pieds".

"Partout où elle allait, l'herbe croissait sous ses pieds charmants."

Elle m'apparut comme une vaste prairie d'herbe verte, une douce prairie qui s'étendait à perte de vue sous le soleil, part d'une nature infinie dont rien ne la séparait : sa joie pure, sa fraîche et tendre volupté évoquaient ces herbes qui ondulaient sous une brise inlassable, et sa désinvolture, qui illuminait tout ce qu'elle touchait d'une teinte légère, comme un matin d'été…

Tout ce qu'elle désirait, elle le désirait avec passion : une lampe, danser, moi, une pêche, faire l'amour, un succulent repas... Mais je sentais qu'elle était aussi capable de laisser tomber ce qu'elle avait passionnément désiré avec un désintérêt qui égalait en force le désir. Elle se comportait comme si elle était dotée du droit de tout vouloir et douée de la force de tout abandonner. Et je crois que l'illimitation naturelle de ses désirs avait précisément sa source dans la foi qu'elle avait de pouvoir s'en défaire. Si elle perdait cette foi dans l'oubli, elle cesserait aussitôt de vouloir.

En revenant, elle se lança un quartier de mandarine dans la bouche, m'embrassa dans le cou, puis s'assit dans son fauteuil, les pieds sous les fesses, en tailleur. Elle se retirait dans sa solitude, elle avait replié les ailes et retrouvé son nid. Sa pose était naturelle, paisible et douce, comme la pluie d'un tiède soir de printemps. Je me demandai alors si sa passion pour les documentaires animaliers ne venait pas du fait qu'elle ressemblait beaucoup plus à la nature qu'aux êtres humains.

Je repensai aussi à ce qu'avait dit madame Nermin à propos des écrivains : "Tout le monde connaît les règles de la littérature, mais seuls les écrivains savent comment s'en affranchir." Oui, tout le monde connaissait les règles de l'existence, même moi, mais seule elle, madame Hayat, savait comment s'en affranchir. Elle les violait avec un naturel stupéfiant, la première règle étant la peur, et elle n'avait pas peur... De rien, ou presque.

Je l'observais. Elle était penchée en avant, sa poitrine découverte jusqu'aux tétons.

— Qu'est-ce qu'il y a, Marc Antoine ?

— Si on allait au lit ?

Au lit aussi elle était comme une déesse, et telle l'Hécate d'Hésiode, "il n'y avait point de bonheur qu'elle ne donnait pas". Elle me donnait le plus grand bonheur et je me sentais tel un dieu.

Nous nous endormîmes épuisés, à l'heure où les premières lueurs du jour filtraient à travers les rideaux. Était-ce vraiment de l'épuisement, ou bien cette sensation que j'avais ressentie après l'amour et qu'Hésiode dans la suite de son poème, évoque en un vers menaçant : "Parfois la déesse me laisse déçu" ; je l'ignorais, mais toutes les émotions accumulées en moi, la jalousie secrète, l'esseulement, la pauvreté, le désespoir, brisaient les murs qui les contenaient et surgissaient d'un coup au grand jour, toutes réunies en un seul souvenir, une seule image : la mort de mon père. Alors je racontai à madame Hayat les derniers jours de mon père.

— La nuit, j'envoyais ma mère se coucher et je restais seul à l'hôpital. Il était dans le service de réanimation. On savait qu'il n'avait aucune chance de s'en sortir, mais on espérait toujours un miracle. Je veillais toute la nuit devant la porte du service. Quand j'en avais assez de rester assis, je faisais un tour dans les couloirs. Il n'y avait personne. Mais au milieu de la nuit, j'entendais souvent le même bruit. C'était un bruit de roulettes métalliques. Je n'ai pas tout de suite compris ce que c'était. Puis, une fois, je suis tombé sur la source de ce bruit : un petit homme malingre et borgne poussait un lit à roulettes, suivi par une femme qui portait le voile. Je ne comprenais toujours pas. C'est seulement quand j'ai vu la silhouette sous le drap qui recouvrait le lit que j'ai compris qu'ils transportaient les morts. Toute la nuit jusqu'au matin, le borgne et la femme voilée emportaient les morts vers la morgue dans les sous-sols de l'hôpital. J'essayais de fuir le bruit, mais quoi que je fasse, ils surgissaient toujours devant moi. Les roulettes métalliques de la mort me pourchassaient, elles m'annonçaient que mon père aussi, bientôt, s'en irait au rythme de ce bruit-là… Une nuit…

Ma voix tremblait… Je m'enfouis contre la poitrine de madame Hayat. Elle me prit entre ses bras chauds.

— La mort ne fait pas peur à ceux qui meurent, mon garçon. La vie et la mort s'arrêtent ensemble quand on meurt… Seuls les vivants ont peur de la mort.

J'avais honte de pleurer et pourtant je sentais que mes larmes me soulageaient d'un poids, me lavaient, me purifiaient, et de partager avec elle un chagrin qui n'appartenait qu'à moi me donnait l'impression, étrange et incompréhensible, mais apaisante, qu'elle était désormais une part inséparable de mon être. C'était un immense soulagement, et dans ce soulagement son corps redevenait sensible, je la touchais, je voulais sentir sa chair. Je la saisis par les hanches.

— Qu'est-ce que tu fais, Marc Antoine ? dit-elle en descendant la main sur moi. Espèce de furieux débauché…

Le matin, je m'éveillai heureux. En petit-déjeunant, je lui annonçai que je n'avais pas cours aujourd'hui, ni rien de prévu pour la soirée.

— Parfait, dit-elle.

Elle avait ouvert les fenêtres, une douce fraîcheur se répandait dans l'appartement. Elle portait une robe de chambre épaisse. Des poches se dessinaient sous ses yeux, elle avait les traits tirés.

— Plus de folies jusqu'au matin, dit-elle, désormais ce sera dodo à trois heures dernier carat. Regarde la tête que j'ai, je me suis endormie moi-même, je me réveille ma mère. Et après tu vas t'étonner que je te chasse, ah non mais tu veux ma mort…

Sa complainte ne l'empêchait pas de dévorer avec appétit. Ses yeux brillaient comme de petits diamants.

Nous passâmes toute la journée chez elle. Il faisait bon, on était au chaud. Ça sentait la fleur. C'était paisible. L'après-midi on alluma la télévision. Le documentaire en cours racontait les conquêtes de l'Empire romain, pas du point de vue des soldats mais de celui de ses ingénieurs, en l'occurrence de leur génie des canalisations, du pompage, du détournement et du transport des eaux, parfois sur des centaines de kilomètres. Elle était fascinée. La technologie du siphon inversé, notamment, grâce auquel les Romains réussissaient à faire remonter l'eau vers les points hauts, l'impressionnait beaucoup.

— Regarde, ils font remonter l'eau jusqu'au sommet de la colline… Comment c'est possible ?

— Ils se servent des lois de la pression, qui veulent que quelle que soit la hauteur depuis laquelle l'eau coule en descente, la pression lui permettra de grimper dans l'autre sens jusqu'à la même hauteur.

— Génial, non ?

Sa curiosité était insatiable, et elle avait une mémoire stupéfiante, elle se souvenait de tout ce qu'elle avait vu. Le monde, la nature, l'histoire : c'était pour elle comme des jouets qu'on offre à un gamin. On aurait dit que le cosmos tout entier avait été conçu comme un conte fait pour divertir madame Hayat.

Le documentaire expliquait que la civilisation romaine s'était développée et étendue essentiellement grâce à son génie de la construction et de l'ingénierie, avec les routes, les canaux, les citernes, les thermes. Dans certaines parties de l'Angleterre, les installations construites par les Romains étaient encore utilisées de nos jours. Leurs citernes et leurs aqueducs étaient toujours debout. Les ingénieurs romains avaient su trouver des solutions aux problèmes techniques les plus complexes, ouvrant la voie aux armées qui passaient sur les routes et par les ponts qu'ils avaient construits.

— Ils ne donnent jamais les noms de ces ingénieurs, dit-elle, il n'y en a donc aucun de connu ?

— Les généraux sont célèbres, pas les ingénieurs.

— Qui était leur général le plus célèbre ?

— Jules César.

— Celui à la cape rouge…

— Tu sais comment César a vaincu Pompée ?

— Qui est Pompée ?

— Un autre général… Ils gouvernaient Rome ensemble.

— Eh, et pourquoi se sont-ils battus alors ?

— Parce que les deux voulaient gouverner seul.

— Cette obsession masculine du moi, moi, moi est vraiment stupide…

— C'est ça qui fait l'histoire…

— Bon, alors comment César a gagné ?

Elle était comme un petit poisson entêté : dès qu'elle voyait ou entendait quelque chose qui excitait sa curiosité, elle ne lâchait plus le morceau.

— Pompée avait surtout des cavaliers, nombreux et bien entraînés. César, quant à lui, avait l'infanterie, des fantassins armés de javelots. Or il avait remarqué que les cavaliers de Pompée étaient assez jeunes. Il faut savoir qu'en règle générale, les fantassins lançaient leurs javelots sur les jambes des cavaliers, ou sur les chevaux. Mais cette fois, César leur demanda de viser la tête des cavaliers. Ils obéirent. Voyant cela, les cavaliers de Pompée, comme ils craignaient d'être blessés au visage et de perdre leur beauté, paniquèrent et s'enfuirent. Et Pompée perdit la guerre.

— Vraiment ? Pour cette seule raison-là ?

— C'est ce que raconte Plutarque.

— Ah les pauvres chéris… Tu veux dire que si les hommes de Pompée avaient été vieux et laids, il aurait gagné la guerre ?

J'adorais discuter avec elle. Les problèmes les plus graves de l'humanité se transformaient toujours en l'espèce de débâcle comique d'un pauvre pantin stupide et empoté. J'avais moi-même l'impression de faire partie de la bande des joyeux empotés, en même temps que je me sentais appartenir aux dieux qui s'apitoyaient sur le sort de ces pauvres pantins. Elle voyait les mystères du monde à travers une loupe déformante connue d'elle seule, et tout ce qui passait sous cette loupe perdait sa croûte rugueuse, sa gravité millénaire, pour se changer en un joujou amusant. Je me demandais parfois si elle n'était pas réellement une sorte de déesse.

Mais que faisait une déesse avec un mafieux ? Je ne comprenais toujours pas. Et je ne posais aucune question.

VII

Je vivais dans un équilibre étrange et scandaleux. Habitant seul dans une chambre d'étudiant, j'avais deux femmes dans ma vie, deux relations auxquelles il était difficile de donner un nom, et que du reste je ne savais pas définir. Ce que j'étais pour elles, ce qu'elles étaient pour moi, je n'en savais rien. On ne parlait pas de nos sentiments, on ne se faisait aucune promesse, on n'en réclamait même pas. À tout instant elles pouvaient me quitter et sortir définitivement de ma vie.

Avec madame Hayat, on se voyait le soir au studio de télé, puis on allait chez elle, le lendemain matin on se séparait. De savoir si on se reverrait à la prochaine émission, il n'était jamais question. Parfois, elle ne venait pas, sans explication. Je ne lui en demandais aucune. Elle semblait avoir choisi en toute conscience de laisser les choses dans le vague, refusant obstinément que notre relation, comme l'existence en général d'ailleurs, prît un tour plus formel, ou au moins descriptible. Aucune ligne claire, nette, délimitée, ne venait circonscrire notre relation, elle pouvait changer à tout moment, devenir autre chose, voire disparaître purement et simplement. Si ce flou permanent me rendait inquiet, il avait aussi quelque chose d'étrangement excitant. Je voulais les tenir, les avoir bien en main, elle et notre relation, mais elles m'échappaient.

Avec Sıla, on se voyait quand nos emplois du temps le permettaient, on se baladait, on allait de temps en temps au cinéma, on allait dans des bistrots pas chers pour discuter de littérature, parfois pendant des heures. Nous aimions les mêmes livres, les mêmes personnages, les mêmes écrivains.

Je me sentais profondément attaché à ces deux femmes, et en même temps, rien n'étant officiellement nommé entre nous, j'éprouvais de la culpabilité. Je me sentais coupable de cacher à chacune la part de l'autre dans mon existence, et de ne pas réussir à leur avouer la vérité, ni à l'une ni à l'autre. Mon silence me révélait quelle trahison y couvait sourdement. Le fait de savoir qu'elles non plus ne me disaient pas tout était loin de me consoler, au contraire, cela ne faisait qu'attiser mes soupçons et ma jalousie, ajoutant aux tourments de ma culpabilité ceux d'une douloureuse curiosité.

Si chacune était à sa place propre dans mon esprit, places qui ne s'intervertissaient ni ne se chevauchaient jamais, telles deux lignes parallèles, l'ombre portée de chacune tombait pourtant sur l'autre et s'y mêlait. Ces ombres-là m'égaraient, elles m'empêchaient d'y voir clair, elles prolongeaient et densifiaient les espèces de ténèbres d'indécision qui m'embrumaient la cervelle. Si c'étaient elles, ou moi, à l'origine de cette obscurité d'éclipse, je n'arrivais pas exactement à le démêler. Je sentais en tout cas que, contrairement à ce qui se passe en géométrie, les deux lignes ne resteraient pas parallèles à l'infini, elles finiraient par se croiser.

Tel était mon sombre pressentiment, de ceux que même les hommes les plus confus et les plus inexpérimentés, comme je l'étais alors, peuvent nourrir sans risque d'erreur.

Nous n'avons plus acheté de chocolat, Sıla et moi. Je crois que l'épisode l'avait traumatisée bien plus qu'elle n'en laissait paraître. Si nous nous étions habitués assez facilement au fait de manquer d'argent, nous avions encore du mal à nous faire à l'idée d'être pauvres. Tous les deux nous avions grandi dans un milieu qui méprisait la pauvreté, pour lequel elle équivalait au manque de talent, de réussite, à la bêtise et à la paresse. Et maintenant que nous avions rejoint la grande foule des pauvres gens, nous savions bien comment les riches nous jugeaient. Nous ne méprisions pas les pauvres, non, mais nous n'étions pas non plus prêts à accepter que nous aussi, désormais, faisions partie de cette catégorie. Nous ne l'accepterions sans doute jamais.

Madame Hayat se moquait des riches, "ces abrutis qui passent toute leur vie à gagner un argent qu'ils ne dépenseront jamais", comme elle disait en riant, mais pour Sıla et moi c'était encore loin de pouvoir être un tel sujet de plaisanterie. Nous avions été élevés dans la certitude pas même consciente que nos pères étaient riches et intouchables, et que rien ne nous serait jamais impossible. L'arrogance s'était gravée dans notre chair avec le premier jouet hors de prix qu'on nous avait offert. Cette arrogance que je lisais parfois sur le visage de Sıla, j'étais certain qu'on pouvait en trouver une trace semblable sur le mien. Ce n'était pas seulement la fortune que nous avions perdue, mais aussi notre confiance dans l'existence, et l'arrogance, elle, si profondément qu'on veuille bien gratter, se lirait toujours sur nous, imprimée à même la peau.

On se tenait à distance aussi bien des pauvres que des riches. La menace principale, cependant, venait des riches, de nos anciens amis. Et ce qui nous rapprochait, en plus de notre passion commune pour la littérature, c'était ce besoin de se ménager une cachette loin des autres. Mais nous ne parlions jamais de ces choses-là. Nous avions vite appris qu'il est certaines réalités qu'il vaut mieux accepter en silence, car en parler ne fait que les rendre plus insupportables. On parlait de littérature, de philosophie, d'histoire, de mythologie... C'était notre refuge, les histoires du passé comme un médicament contre les malheurs du présent.

— Dans la mythologie comme dans la religion, dit un jour Sıla, tout commence par la violence. Regarde Ouranos, le père des dieux, qui engrosse Gaïa, la déesse-terre, pour être ensuite émasculé par son fils Cronos. La mythologie débute par un fils qui coupe les testicules de son père. Puis c'est au tour de Zeus, le fils de Cronos, de tuer son père. Voilà l'enfance de la vie pour les Grecs... Dans la religion, la même violence : Adam et Ève sont chassés du paradis, et aussitôt l'un de leurs fils tue son frère parce qu'il ne voulait pas partager avec lui. Pourquoi, à ton avis, toutes les légendes humaines commencent par une telle violence ?

J'aimais entendre sa voix à la fois calme et autoritaire.

— Probablement à cause de la peur, répondis-je. Pour nos ancêtres la vie devait être minée par la peur, les animaux sauvages, les catastrophes naturelles, la faim, le froid... Sans doute voulaient-ils un sauveur encore plus fort, plus violent, plus terrifiant que ces réalités quotidiennes. Alors ils ont imaginé une puissance capable de faire peur à ce qui leur faisait peur.

Elle réfléchit un instant.

— Possible, dit-elle. C'est même plausible.

Elle n'acceptait aucune idée ou opinion avant de l'avoir passée au filtre de son intelligence, et, quand elle acceptait, c'était comme une récompense flatteuse. Sa gravité, son sérieux, son attitude distante, son orgueil : tout cela lui donnait un genre de charme qui me faisait absolument défaut. J'étais impressionné. Si elle n'avait pas le naturel de madame Hayat, elle possédait une sorte de tempérance froide et distinguée qui la rendait tout aussi attirante. Du fait sans doute que sa vie avait changé radicalement du jour au lendemain, elle avait pris conscience de la versatilité de l'existence, et en avait gardé une prudence inquiète dont elle ne se départissait plus. Elle pensait constamment au mal qu'on pourrait leur faire, à elle et sa famille. "Ils sont capables de tout", répétait-elle, sans préciser qui était ce "ils", probablement parce qu'elle-même l'ignorait.

Un jour de la fin du mois de novembre, en sortant du cinéma, nous entendîmes le tonnerre. Un orage énorme se préparait, le ciel semblait vouloir exploser, les rues étaient vides, tout le monde courait se mettre à l'abri. Nous étions sur le trottoir en train de réfléchir à une échappatoire quand la pluie se déclencha. Les gouttes tombaient comme des pierres. À cet instant, une voiture s'arrêta devant nous, la fenêtre s'ouvrit, l'homme au volant cria :

— Madame Sıla, je vous en prie, montez !

Elle se pencha pour apercevoir le chauffeur, puis elle déclina :

— Je vous remercie, nous ne sommes pas loin.

Lui insistait, il étendit le bras pour ouvrir la portière :

— Je vous y emmène, montez, vous allez être trempée.

Sıla me fit signe de venir avec elle. Nous nous assîmes côte à côte sur la banquette arrière.

— Comment vas-tu, Yakup ?

Puis elle se tourna vers moi et dit à voix haute :

— Yakup est l'ancien chauffeur de mon père.

— Très bien, madame Sıla, grâce à Dieu tout va bien.

Il avait dans les quarante-cinq ans, la peau claire, légèrement dégarni sur le sommet du crâne. On voyait le dos de sa veste à carreaux, en polaire épaisse, marron et rouge ; trop large pour lui, elle pendouillait un peu aux épaules.

— Chez qui tu travailles maintenant ?

Comme s'il avait attendu cette question, Yakup se redressa dans le fond de son siège.

— Je ne travaille plus chez personne, mes frères et moi on a monté notre propre affaire.

Il attendait que Sıla lui demande "quelle affaire ?", mais comme elle ne dit rien, il répondit lui-même à la question :

— On a une entreprise de travaux publics. Vous savez, mon grand frère il est adjoint au maire de l'arrondissement.

— Je ne savais pas, marmonna Sıla d'une voix glaciale.

Yakup répéta avec satisfaction :

— C'est l'adjoint du maire d'arrondissement, mon frère. Alors le maire de la ville aussi l'a à la bonne, ça nous permet de remporter des marchés municipaux.

— Mais tu as une formation d'entrepreneur du bâtiment ?

— Quelle formation, ma petite Sıla…

Je la sentais se raidir. De "madame Sıla" à "ma petite Sıla", la transition était brutale. Yakup ne s'en était pas rendu compte, il continua sur le même ton sûr de lui :

— Tu recrutes les ouvriers, tu mets un contremaître pour les superviser, et c'est parti, on envoie l'asphalte.

— Maintenant je comprends mieux pourquoi les routes sont dans un si sale état…

Yakup fit comme s'il n'avait pas entendu la pique de Sıla, il fit un signe de la tête vers moi :

— Et l'ami là, c'est qui ?

— Tu poses de ces drôles de questions, Yakup…

Il marmonna quelque chose du genre "je demandais comme ça", l'air penaud. Mais il ne mit pas longtemps avant de reprendre sa confiance.

— Comment va monsieur Muammer ? J'ai entendu dire qu'il avait trouvé du travail.

— Il va bien, répondit Sıla.

— Tu le salueras de ma part. Qu'il n'hésite pas à me contacter s'il a besoin de quelque chose. On connaît du monde, on peut rendre service. Tu sais, mon frère…

— C'est l'adjoint du maire, je sais, dit Sıla en serrant les dents.

— Et toi, tu fais quoi, tu continues les cours ou bien tu as été obligée d'arrêter ?

— On est arrivés chez nous, ça y est. On va descendre là.

— Vous habitez où exactement ? Je vous dépose devant la porte.

— Pas besoin, merci.

Yakup s'arrêta, il lui tendit une carte de visite où sous son nom figurait la mention "entrepreneur".

— Tu la donneras à Muammer *abi*, Sıla, au cas où il aurait besoin…

Elle ne répondit pas. On descendit de la voiture. Yakup nous jeta un dernier regard, puis il démarra et partit.

Elle était livide. On s'adossa contre le mur d'un immeuble.

— Pourquoi tu lui as dit qu'on habitait ici ?

— Tu n'as pas entendu ? Son frère est l'adjoint du maire de l'arrondissement, dit Sıla d'une voix énervée qui signifiait que ma stupidité la mettait hors d'elle, faut jamais faire confiance à ces types-là, après ils te dénoncent.

— Dénoncer quoi ? répondis-je abasourdi. Il n'y a rien à dénoncer…

— Est-ce qu'il y a besoin d'avoir fait quelque chose de dénonçable pour être dénoncé ? On te dénonce et ils t'arrêtent, après ça, va essayer d'expliquer que t'es innocent… Mais dans quel monde tu vis, bon Dieu ! Ouvre un peu les yeux.

Il continuait de tonner et de pleuvoir. Nous étions collés au mur. Les immeubles avaient perdu leurs couleurs, tout virait au gris sous l'orage, le monde semblait se délaver, fondre et partir au caniveau avec la pluie.

— Il leur faut des dieux terrifiants, à ceux-là, dit Sıla comme se parlant à elle-même, des dieux sacrément terrifiants.

Elle bouillait de rage.

— Tu as des sous ?

— Un peu.

— Moi aussi, un peu. Viens on va boire un verre…
Les bistrots dans ta rue sont ouverts. Pas besoin de
faire un vrai déjeuner, on commandera des mezzés.

Nous avons couru de auvent en auvent jusqu'à ma
rue. Il était tôt, l'ambiance était calme, la plupart
des cafés étaient déserts. Nous en choisîmes un qui
avait une petite terrasse en béton couverte par un
toit en tôle ondulée, avec quelques tables non dres-
sées. La pluie s'était un peu calmée.

Sıla ne voulait pas entrer à l'intérieur du local.

— Ils n'ont qu'à arranger une de ces tables, on
mangera ici… Je ne supporterai pas d'être dans un
lieu fermé.

Le garçon nous invita à entrer, je lui demandai
de dresser une des tables extérieures. Il se contenta
de commenter d'une voix ennuyée, à cause du travail supplémentaire :

— Vous allez avoir froid.

— On n'aura pas froid, merci.

— Très bien, comme vous voulez.

Pendant qu'il mettait la nappe et les couverts, je
commandai deux doubles rakis, du fromage, des
fèves marinées et une salade de tomates. Le garçon
fit une moue vaguement dégoûtée, l'air de dire :
"Tout ce dérangement rien que pour ça…"

Je versai l'eau dans nos verres de raki. Nous regar-
dâmes le liquide blanchir peu à peu. Sıla vida presque
la moitié de son verre dès la première gorgée. On
entendait la pluie rebondir sur la tôle au-dessus de
nous. Au bout du toit, l'eau gouttait sur le béton, une
petite flaque se formait sur la terrasse. Il faisait froid.

— Tu habites dans cette rue ?

— Dans le bâtiment juste en face, pour être précis.

— Joli…

Nous bûmes nos rakis sans parler. La nuit commençait à tomber.

— Elle est comment ta chambre ?

— Pas mal.

— Il y a un radiateur ?

— Oui… Un vieux radiateur à l'ancienne, avec des motifs, en fonte.

Il y eut un silence.

— Allez viens, montre-moi ta chambre, je suis curieuse de voir où tu habites.

Nous ne croisâmes personne dans les escaliers. La chambre était chaude, sombre, la pluie ruisselait sur les carreaux. J'allais appuyer sur l'interrupteur quand elle retint mon bras.

— N'allume pas.

Elle enleva son manteau. Puis sa veste. Puis son chemisier. Puis ses bottes, son jeans. Puis elle dégrafa son soutien-gorge…

Son corps était mince et bien sculpté. Ses jambes, longues et puissantes, comme ses bras, où l'on devinait le dessin des muscles. Sa peau était ferme, tendue. Ses petits seins, pointus, le mamelon presque noir dans la pénombre.

Elle s'allongea sur le lit.

Je me déshabillai à la hâte.

Elle me sauta dessus avec une sorte de sauvagerie à laquelle je ne m'attendais pas du tout, ses bras et ses jambes avaient une force inimaginable. Elle me plaqua sur le lit et monta sur moi. Elle ne faisait aucune demande, n'émettait aucun son, elle m'étreignait de tout son corps. J'étais abasourdi. Je me laissais faire. Elle faisait l'amour d'une manière très dure, complètement inhabituelle pour moi. Elle me faisait mal. Peu à peu nous réussîmes à trouver notre rythme. Alors un plaisir brûlant, mêlé de douleur, comme je n'en avais jamais connu, m'envahit tout entier. Son corps était comme un fouet, d'une maigreur et d'une nervosité qui me le rendaient bizarre, mais aussi extrêmement excitant.

Pendant les pauses elle ne parlait pas, elle s'allongeait en fermant les yeux.

Il faisait nuit. La pluie continuait de tomber. Nous avions allumé la lumière dans la salle de bains et laissé la porte entrouverte. Sa peau lisse brillait dans la pénombre. Elle était très belle.

Il était tard quand nous eûmes fini de faire l'amour. Elle ferma les yeux et parut s'endormir. Puis elle les rouvrit et lança en riant :

— Tu n'as pas mal, j'espère.

Peut-être qu'elle avait l'habitude de ces scènes-là, que c'était devenu une routine. Je m'imaginais qu'elle posait la même question à tous les hommes. J'étais fâché.

— C'est toi la femme, c'est moi qui dois te poser cette question.

Elle ne répondit pas.

Je me suis retourné d'un coup, je l'ai attrapée par les poignets pour la plaquer sur le lit. Elle essaya de se libérer mais j'étais le plus fort.

— C'est toi la femme, répétai-je. Alors moi aussi je suis une femme.

— Fazıl… Fazıl, t'es cinglé ou quoi ? Fazıl…

— Moi aussi je suis une femme.

— Fazıl… Tu me fais peur.

— Moi aussi je suis une femme.

Puis elle éclata de rire :

— C'est moi la femme… Ça te va comme ça ? Tu as besoin que je le dise pour t'en convaincre, c'est ça ?

Je la lâchai.

— Taré… Regarde dans quel état sont mes poignets… Qu'est-ce qui t'a pris ?

— Il me semblait qu'il y avait erreur dans la répartition des rôles, j'ai voulu corriger ça.

J'étais content de ma petite scène, je riais, elle aussi riait, "espèce de dingue", répétait-elle.

— Tu as une cigarette ? me demanda-t-elle ensuite.

— Tu fumes toi ?

— Parfois… J'en ai envie là.

— Je n'en ai pas sur moi mais on peut en trouver.

— Laisse tomber, c'est pas une obligation.

Je décidai qu'à l'avenir il faudrait toujours avoir des cigarettes chez moi.

Elle fit un aller-retour dans la salle de bains ; elle aussi marchait sur la pointe des pieds. En se recouchant, elle attrapa la photo des trois fermiers.

— Ce sont les trois fermiers qui vont au bal ?

— Oui.

Elle m'embrassa :

— Eux vont au bal, et nous on en revient, dit-elle.

C'était le seul commentaire qu'elle fit sur nos ébats ; pas grand-chose certes, mais cela suffisait à mon bonheur.

— Le premier se prend vraiment pour un comte, dit-elle, le second a des airs d'aristocrate. Le troisième est une vraie petite frappe… C'est lui le plus malin, ça se voit… Celui du milieu te ressemble un peu. Tu as plus de sourcils, mais…

Elle observa la photo plus attentivement :

— Et tu as une plus belle bouche.

Elle était joyeuse à présent. Son humeur changeait aussi vite que la mienne.

Nous étions allongés côte à côte, main dans la main, tels deux baigneurs qui s'étendent sur le rivage, épuisés et heureux, après avoir longtemps nagé dans une mer houleuse. Je sentais la tiédeur de ses doigts se répandre en moi.

— On en a mis du temps, avant de se décider… lui dis-je.

— Ce n'était pas la décision qui était dure à prendre, c'était de réussir à faire ça dans ta piaule.

Je fus meurtri ; qu'elle pût être aussi vulgaire me choquait, le simple fait qu'elle osât parler en ces termes après notre première fois blessait mon orgueil. Mais je ne dis rien. C'est bien plus tard seulement, lors de sa troisième ou quatrième visite chez moi, qu'après avoir fait l'amour, alors que nous étions allongés côte à côte, je lui avais rappelé ses propres mots.

— C'est aussi comptable que ça, le désir ?

Elle regardait le plafond.

— Ça n'a rien à voir avec le désir ou la comptabilité. C'est plutôt lié au fait d'être une femme, ce que tu ne peux pas comprendre. Depuis l'enfance nous sommes éduquées dans la peur de la souillure, de l'impureté, du viol. Qu'est-ce qui est dégradant pour une femme, qu'est-ce qui l'enlaidit, qu'est-ce qui la dénature, etc. : on nous donne toute une liste à apprendre. Et avant de me décider pour ce genre de choses, je passe d'abord en revue la liste de tous ces interdits qui se sont gravés dans mon inconscient, je fais le tri, je vois si c'est compatible, j'essaie de m'arranger, ensuite seulement je me lance. Mais avant d'y arriver, il faut que j'en passe par toute une batterie d'interrogations dont tu n'as même pas idée. Et je ne crois pas que ça ait un rapport avec ce que j'ai vécu ou non, mon milieu, mon éducation, ma culture ; toutes les gamines du monde entier grandissent avec ce genre de liste d'interdits imprimée au fond de la conscience. Et venir dans la chambre d'un étudiant fait partie de la liste.

Elle s'interrompit, esquissa un sourire :

— Je devais vraiment avoir envie de toi pour prendre un risque pareil.

Elle avait recommencé à fixer le plafond.

— Je crois que c'est moi qui comprends tout de travers, lui dis-je.

Elle se retourna, me caressa le nez du bout du doigt.

— Ça, par contre, c'est typiquement masculin. Si vous compreniez tout correctement, vous seriez tellement terrifiés que vous n'oseriez plus faire un geste.

Quand nous sortîmes, la pluie avait cessé, la rue s'était remplie.

— J'achète des cigarettes ?

— Non merci, répondit Sıla, je n'en ai plus envie... C'était tout à l'heure.

Je la déposai chez elle en voiture. Au moment de descendre, elle m'embrassa.

— Demain j'ai cours, dit-elle, mais appelle-moi le jour suivant...

Juste avant de refermer la portière, elle se tourna une dernière fois, souriante :

— Pas de bêtises avec les autres !

Le lendemain j'arrivai en cours à la dernière minute. Monsieur Kaan avait déjà commencé son monologue, il parlait en se caressant de temps en temps la barbe, toute la classe l'écoutait :

— Cioran a écrit cette phrase tranchante : "Il n'est pas d'art vrai sans une forte dose de banalité." Pour appuyer son allégation, notre moraliste ajoute : "Celui qui use de l'insolite d'une manière constante lasse vite, rien n'étant plus insupportable que l'uni-formité de l'exceptionnel." Adorno, quant à lui, disait qu'"en tant qu'il s'extrait hors de la réalité d'une part, en même temps qu'il se laisse peupler par elle, de l'autre, l'art oscille entre le merveilleux et le sérieux", et que, par conséquent, c'est cette tension qui fait qu'un art peut l'être au sens fort. Les phénomènes de "banalité" chez Cioran, et de "réalité" chez Adorno, forment ainsi le point de jonction entre leurs deux définitions. Si à présent nous regroupons les deux phénomènes en un seul terme, nous voyons alors le concept de "réalité banale" s'imposer à nous comme le socle irréductible de ce que l'art est.

Le professeur s'interrompit pour laisser l'assis-tance s'imprégner de ses paroles, puis après avoir fait quelques pas les mains croisées dans le dos, il reprit :

— La question qui nous intéresse est la suivante : en quoi consiste, du point de vue de l'art, cette réa-lité banale ? C'est assurément de l'existence, telle que nous la connaissons, telle que nous la vivons, dont nous parlons en employant ce concept. Fort bien, mais quel nom littéraire donnerons-nous aux réalités les plus banales de l'existence ?

Il s'arrêta au bord de l'estrade et regarda la classe :

— Les deux réalités banales de base sont les cli-chés et les hasards. Au moment où l'on emporte le cercueil d'un vieillard hors de l'hôpital, de l'autre côté de l'allée, devant les portes de la maternité, une sage-femme tient un nouveau-né dans ses bras : c'est un cliché. Et ce cliché contient une vérité sur la nature de la vie humaine, qui est qu'elle forme une chaîne ininterrompue. C'est un cliché très banal, et en même temps une réalité parfaitement indéniable. L'autre grande réalité banale, c'est le hasard, ce sont les coïncidences. Si nos mères et nos pères avaient fait l'amour un autre jour, voire à une autre heure, il y aurait aujourd'hui dans cette classe un autre professeur et d'autres étudiants. La nature ne s'intéresse pas à l'identité de ceux qui naissent, ce qui lui importe c'est la continuité des naissances. La vie commence par hasard, et elle se poursuit dans le hasard.

Il eut un sourire.

— Si nous considérons que les clichés et le hasard sont les deux branches du compas qu'on appelle la vie, lorsque nous enfonçons la pointe de la première branche en un point que nous désignons comme le cliché, la deuxième branche tracera autour de ce centre un cercle fermé par le hasard. L'espace libre à l'intérieur du cercle, ce sera la réalité, banale et ordinaire. Et vous pourrez passer toute votre existence à déambuler dans cet espace bien circonscrit, comme l'immense majorité des hommes, du reste… Mais cette déambulation ne vous permettra pas de créer une œuvre d'art. Bien, alors comment y parviendrez-vous ? Comment créer une œuvre d'art sans quitter cette banale réalité-là, tout en n'y étant pas asservi ? Vous me proposerez vos réponses au prochain cours, et nous en discuterons tous ensemble.

Je sortis de la salle en m'interrogeant sur le rapport entre réalité et originalité. Une réalité originale existe-t-elle ? Qu'est-ce que l'introduction d'une irréalité originale apporte à la littérature ? Comment réconcilier réalité banale et originalité ? Je rêvais de donner des cours, moi aussi. Quel plus grand bonheur que d'enseigner la littérature, d'en discuter et d'en débattre ? Je me souvins alors de Maxime Gorki racontant que Tolstoï détestait parler de littérature, "mais il écrivait, lui", pensai-je, et d'ailleurs il n'avait jamais été heureux. Raconter, inventer, mettre en récit : c'était peut-être la partie de la littérature qui procurait le plus grand bonheur.

Après avoir avalé un sandwich en vitesse à la cafétéria, j'allai à la bibliothèque. Je passais beaucoup plus de temps à l'université depuis que j'avais une voiture. C'en était fini de me sauver tout de suite après les cours. Je travaillais à la bibliothèque, je réfléchissais, je lisais les livres que j'avais envie de lire. J'aimais son silence, la lumière de ses lampes à abat-jour vert, l'odeur de bois et de papier. C'était un sanctuaire où les hommes, sereins, sérieux, appliqués, attentifs, venaient adorer les livres, et je m'imaginais en jeune disciple qui a trouvé sa communauté de fidèles.

Je lisais les *Notes sur la littérature* d'Adorno en noircissant des cahiers de notes. Ses remarques sur Zweig et Balzac me brisaient le cœur, je me promettais d'en parler avec Sıla à la première occasion. L'image d'elle nue sur mon lit, me demandant une cigarette, interférait désormais avec chacune de mes pensées pour elle.

Il y avait un tournage ce soir à la télévision ; je me demandai si madame Hayat viendrait. La dernière fois, elle n'était pas là.

De retour chez moi, je fis un tour par la cuisine avant de monter dans ma chambre. Le Poète, Bodyguard et l'un des gamins de la campagne étaient en pleine discussion autour de la table. Mon entrée les fit brusquement se taire. À vrai dire, peu de choses sont aussi vexantes et humiliantes que le silence soudain des gens quand vous entrez dans une pièce où la conversation jusque-là allait bon train. Je frissonnais de colère comme si j'avais subi une terrible injustice. J'avais déjà fait demi-tour quand j'entendis la voix du Poète m'appeler dans mon dos.

— Tu vas où ? Reste, viens boire un thé.

— Je ne voudrais pas déranger…

— Déranger quoi ? On papote entre nous.

Je me fis un thé et les rejoignis à la table. Le Poète répandait autour de lui une bonne humeur blagueuse à laquelle personne ne résistait, en même temps qu'une sorte de sérieux réaliste et grave par lequel, gravitant dans son orbe, on se sentait protégé.

— Donc tu es étudiant en littérature…

Comment il le savait, mystère, mais puisque chaque habitant du lieu possédait à leur insu des informations sur tous les autres, je n'étais guère étonné qu'il le sût déjà.

— Oui. Et toi tu es poète…

— Non pas, non pas… Où tu vois un poète, camarade… Quelqu'un m'a collé ce surnom, c'est resté, le Poète, mais non pas Poète, j'ai dit, puis tant pis, j'ai accepté. Je suis rédacteur dans une revue.

— Une revue littéraire ?

— Une revue politique.

— Politique ?

Je ne m'attendais pas à ça.

— Pourquoi pas, c'est interdit ? relança le Poète en riant.

— Non, bien sûr, dis-je, c'est juste que je te croyais poète.

— Eh bien, garde le poète si tu veux, mais n'espère pas de poèmes.

Il devint tout à coup sérieux.

— Avec les copains, on parlait de la situation.

— Quelle situation ?

— Celle du pays. Envolée des prix, chômage jusqu'aux genoux, justice nulle part.

Je l'observais sans rien dire.

— Toi tu ne t'intéresses pas du tout à la politique ? demanda-t-il.

— Non.

— Mais la politique s'intéresse à toi, dit-il en riant. Tu vis dans une chambre d'étudiant, tu es pauvre, et la police fait des rafles là où tu habites. Pourquoi, à ton avis ?

— Je ne sais pas.

Je ne savais vraiment pas quoi dire.

Tous les yeux étaient fixés sur le Poète.

— Si tu le savais, peut-être que ces choses n'arriveraient pas. Si nous le savions, la situation serait peut-être différente.

— Qu'est-ce qu'on peut faire ? demandai-je.

Il alluma une cigarette.

— En réfléchissant à ce qu'on peut faire, on est déjà en train de faire quelque chose.

Cette fois, c'est moi qui éclatai de rire.

— Je vais réfléchir alors, si c'est ça la solution…

— Ça peut être au moins un début.

— Et ensuite ?

— Ensuite, peut-être que pendant ton temps libre tu pourrais me donner un coup de main à la rédaction. L'ami avec qui je collabore a été arrêté l'autre jour.

Puis il se tut d'un air contrit, comme s'il craignait de m'avoir effrayé. Je le relançai :

— Ils l'ont arrêté juste parce qu'il faisait partie de la rédaction ?

— Ils t'arrêtent même pour moins que ça… Mais je te fais peur là…

J'avais peur, en effet, mais la honte d'avoir peur était plus forte.

— Non, je n'ai pas peur, et je t'aiderai quand j'aurai le temps… Et toi, tu n'as pas peur ?

— Bien sûr que j'ai peur, qui n'a pas peur ? Mais je me suis habitué. Je commence même à y prendre un certain plaisir.

S'il était sérieux ou se fichait de moi, ce n'était pas clair. Durant toute la discussion, ni Bodyguard ni le gars de la province, Kenan de son prénom, je venais de l'apprendre, n'avaient ouvert la bouche, mais pour une raison qui m'échappait, le Poète semblait leur faire entièrement confiance.

J'avais fini mon thé. Au moment où je me levais, il m'attrapa par le bras.

— Il y a un commis de cuisine avec une petite moustache, il crèche au dernier étage, il a les cheveux pleins de gel, tu vois qui c'est ?

— Oui.

— Méfie-toi de lui.

— Pourquoi ?

— C'est un type confus, on peut pas lui faire confiance.

— D'accord, je ferai attention.

Je n'avais pas exactement saisi ce qu'il entendait par un "type confus", mais ça me rappela le "ils te dénoncent" de Sıla, et son : "Est-ce qu'il y a besoin d'avoir fait quelque chose de dénonçable pour être dénoncé ?" Tout cela me paraissait surréaliste, j'avais l'impression de vivre condamné à écouter une histoire pénible, une histoire qui n'avait pour l'instant aucune incidence sur mes propres sentiments.

Elle portait sa robe couleur de miel. Je la vis dès mon entrée dans le studio, elle se déhanchait avec une telle grâce qu'on ne voyait qu'elle, madame Hayat, au milieu de la foule.

En allant aux toilettes pendant la pause, je la revis dans le couloir en compagnie d'une femme que j'avais souvent croisée ici. Elles discutaient, visiblement nerveuses.

La pause tirant en longueur, je pris un thé et m'assis sur l'une des chaises en plastique du couloir. Une femme était assise à côté de moi, elle se retourna brusquement et m'apostropha : "Pourquoi tu t'installes toujours dans le fond ? Mets-toi devant, tu auras beaucoup plus de chances qu'on te filme, en plus tu es grand, tu pourrais jouer dans des séries et tout…" Les gens étaient vraiment étonnants. Personnellement, je n'avais jamais fait le lien entre une grande taille et les séries télévisées.

— Vous avez déjà joué dans une série, vous ? lui demandai-je.

— Une fois ils m'ont appelé pour une scène de mariage, dit-elle fièrement, je jouais l'une des invitées… J'ai même serré la main de l'acteur principal.

Que répondre ?

— C'est merveilleux, murmurai-je avant que la sonnerie nous ramène vers le plateau.

Une seconde avant la fin de l'émission, j'éprouvai le désir d'être seul avec madame Hayat. Quand je la regardais, l'image de Sıla apparaissait parfois, puis elle s'évanouissait silencieusement.

Elle m'attendait à la fin de l'émission, nous sortîmes ensemble.

— Allons dîner dehors, ensuite nous irons chez moi, dit madame Hayat.

C'était le restaurant aux statues. Cendrillon, les nains, la girafe, l'ange, ils étaient tous là. Ils nous avaient attendus. Je la regardais face à moi, sa chevelure or et feu, son sourire ironique, comme elle m'avait manqué, et j'aimais les plis au coin de ses yeux, dont le dessin s'affirmait quand elle riait. Elle était d'humeur joyeuse, elle fredonnait, telle une Muse. Je n'arrivais pas à concevoir qu'elle pût être toujours aussi rayonnante, légère, heureuse, parfois, pensai-je alors, elle m'évoquait une petite fille, parfaitement ignorante de la vie et de ses dangers, qui nagerait toute nue dans un lac rempli de crocodiles, et j'avais peur pour elle. Moi aussi, je m'en rendais compte, j'avais vécu dans une sorte d'ignorance sentimentale, encore incapable, quelques heures plus tôt seulement, de percevoir une foule de réalités banales, mais de cette ignorance, contrairement à elle, je n'avais tiré aucun bonheur. Or c'était peut-être son bonheur, davantage que son ignorance, qui me mettait mal à l'aise.

— *Absit omen*, dit-elle joyeusement en levant son verre.

— Qu'est-ce que ça veut dire ?

— C'est du latin… Loin de nous le mauvais sort.

Elle avait prononcé ça sur le ton d'une formule magique, je ne pus m'empêcher d'éclater de rire. Son savoir était décidément plein de choses improbables.

— *Absit omen*, répondis-je.

J'allais lui demander qui était la femme avec qui elle avait discuté, mais elle m'interrompit, si bien que je renonçai, et posai une autre question à la place.

— Comment s'appelle le petit clarinettiste qui se balade parmi vous sur scène ?

— Hay.

— Hay, ce n'est pas un nom.

Elle riait en plissant les yeux.

— Son vrai nom est Hayrullah, mais comme c'est un peu long pour un nain comme lui, je l'ai raccourci afin que son nom corresponde à sa taille. Et désormais tout le monde l'appelle Hay.

Les mezzés, comme d'habitude, étaient succulents, et comme d'habitude elle me pressait de manger.

— Comment tu fais pour être toujours aussi joyeuse ?

Elle eut un léger haussement de sourcils.

— Comment ça ?

— La vie grouille de dangers, mais toi tu es toujours heureuse, toujours joyeuse.

— Ça t'énerve que je sois heureuse, n'est-ce pas Marc Antoine ?

Je réfléchis un instant : et si son bonheur m'agaçait réellement ? S'il m'énervait ? Si ce que je croyais être de l'inquiétude ou de la prévenance n'était au fond que de la colère ? Pour être honnête, oui, parfois ça m'énervait. Personne ne pouvait désirer avoir affaire à quelqu'un d'aussi optimiste, d'aussi joyeux, d'aussi constamment désinvolte. Tous autant que nous sommes, nous voulons que l'autre soit un peu inquiet, peureux, car ses inquiétudes et ses peurs légitiment et justifient les nôtres, et personne ne veut se sentir humilié à cause de peurs unilatérales, dont alors nous nous réservons seuls le droit de parler. Or cette peur de l'avenir que je sentais chez presque tous ceux qui m'entouraient était précisément le lien qui nous unissait, le sentiment partagé qui faisait de nous une communauté. L'insouciance et la légèreté de madame Hayat ruinaient cette solidarité-là, elles réduisaient à néant le malheur confortable auquel nous nous étions habitués, laissant à sa place un vide que nous ne savions pas combler. Tout le monde n'était pas capable, contrairement à elle, de faire preuve d'autant d'optimisme et d'insouciance, et madame Hayat n'avait pas le droit d'exiger que j'en sois capable. Oui, sa bonne humeur m'énervait, un énervement un peu mêlé de honte… Mais en même temps, elle était fascinante.

— Qu'est-ce qu'il y a ? Tu es ailleurs, Marc Antoine…

— Oui, je suis un peu irrité, dis-je, parce que tu ne connais rien aux réalités de la vie.

C'était la première fois que je la voyais s'énerver.

— Tiens donc.

Elle ne dit plus rien, il y eut un long silence. Elle ne touchait plus à son assiette. Puis elle recommença à parler, très lentement, comme on s'adresse à un enfant attardé.

— J'en sais bien plus long que tu n'imagines sur la vie et ses réalités, comme tu dis. Je sais ce que c'est que la pauvreté, la mort, le chagrin, le désespoir. Je sais que nous vivons sur une planète où des fleurs graciles dévorent les insectes qui se posent sur elles. Je sais que depuis des milliers d'années les hommes se font du mal, qu'ils volent et en spolient d'autres, qu'ils s'entretuent. Je connais réellement la vie. Et comme tout le monde, je mange son miel empoisonné. Le poison je l'avale, le miel je le savoure. Tu peux gémir autant que tu veux, tu peux redouter autant que tu veux ce miel empoisonné, ni la peur ni les gémissements ne détruiront le poison. Tu ne réussiras qu'à tuer le goût du miel. Les réalités de l'existence, je les connais, seulement je ne m'y arrête pas. S'il faut boire le poison je le bois, mais les conséquences ne m'intéressent pas. Parce que je sais qu'enfin il s'agit de mourir…

Elle marqua une pause, puis elle sourit.

— Allez, ça suffit les discussions idiotes, mange ton dîner et ne sois pas fâché contre ta Cléopâtre, mon petit Marc Antoine. À la fin, c'est sur mon sein que se pose le serpent.

— Le serpent c'est moi ?

— Je ne sais pas. Ça dépend de ce que tu fais quand je ne suis pas là.

Je sentis soudain une violente douleur dans la poitrine, comme si quelqu'un écrasait mon cœur entre ses mains, j'étais terrorisé, je me demandais si elle savait pour Sıla. Avait-elle deviné quelque chose ?

— C'est moi le serpent ?

— Mais pourquoi tu t'agites autant, Marc Antoine ?

Elle me toisait, les traits marqués par une expression pour moi indéfinissable, indescriptible même, manifestation d'un bouillonnement de pensées dont j'ignorais tout.

— *Absit omen*, dit-elle enfin, loin de nous le mauvais sort.

Ce n'était plus la même intonation que tout à l'heure, du moins il me sembla. Puis, comme si cette discussion n'avait jamais eu lieu, elle lança joyeusement :

— On commande de la bonite ? C'est pile la saison, tu verras, c'est délicieux.

Nous rentrâmes chez elle en taxi.

Cette odeur familière en entrant… Cette chaleur… Cette lumière couleur d'ambre… Tout cela me transportait, chaque sensation à son tour et toutes à la fois.

On ne perdit pas de temps au salon.

Ô Déesse Hécate aux pieds blancs, toi qui prodigues à l'homme toutes ses joies…

Avant de m'endormir, je me serrai contre elle en murmurant :

— J'ai goûté le miel, mais le poison où est-il ?

— Dans le miel.

Le poison était dans le miel. C'était le cliché. Tout le reste n'était que hasard.

VIII

Je fus tiré de ma chambre par des éclats de voix dans le couloir. Deux personnes soutenaient Gülsüm, il avançait en se traînant, appuyé sur eux. Son visage était en sang, ses vêtements déchirés, ses cheveux défaits, son collant en nylon noir complètement baissé, son maquillage lui dégoulinait sur les joues.

— Je leur ai rien fait de mal, disait-il en sanglotant, je leur ai rien fait de mal.

Il répétait la même phrase, encore et encore.

Toutes les portes de l'étage s'étaient ouvertes, les gens se massaient dans le couloir.

— Qu'est-ce qu'il se passe ? demanda le Poète.

— Les types aux bâtons l'ont tabassé, répondit quelqu'un.

Le Poète s'approcha de Gülsüm.

— Qu'est-ce qu'il t'est arrivé, Gülsüm ?

— Je leur ai rien fait de mal...

— Je sais, mais qu'est-ce qu'il s'est passé ?

— Ils nous ont attaqués d'un coup, les autres se sont barrés, moi ils m'ont coincé à la mosquée. Ils m'ont massacré, *abi*... Un massacre ils m'ont fait...

On comprenait qu'il avait été pris pour cible parce qu'il ne fréquentait pas la mosquée.

— Je t'emmène à l'hôpital ?

— Non… Pas ça… Ils me cogneront là-bas aussi.

— À l'hôpital ? Pourquoi on te cognerait dans un hôpital ?

— Tu sais pas toi, *abi*, ils nous cognent n'importe où. Partout ils nous cognent.

Ils portèrent Gülsüm jusqu'à sa chambre et le déposèrent sur le lit. On apporta une serviette mouillée pour lui essuyer le visage, un autre prit de l'eau de Cologne dans la salle de bains pour désinfecter ses plaies. Tout le monde se pressait autour de lui. Je regardais la scène depuis le pas de la porte. Témoignant que vivait là un être excessivement soigné et délicat, un fort parfum de savon se frayait un chemin jusqu'à mes narines, malgré l'odeur âcre des mâles célibataires qui avaient envahi la pièce. La densité de la foule m'empêchait de voir la chambre en détail, je distinguais seulement un tapis violet et pelucheux étendu au pied du lit, et, sous une coiffeuse, une série de chaussures jaunes, vertes, roses, fuchsia, rouges, à talons hauts, pointure 44, en cuir brillant. On aurait dit une troupe d'oiseaux multicolores qui se serraient dans une cachette à l'abri de l'orage, et le spectacle était si peu commun qu'aujourd'hui encore, quand je pense à Gülsüm, la première chose que je vois, ce sont ces chaussures sous la coiffeuse. Il pleurait et tremblait comme en proie à une crise de nerfs, et répétait toujours :

— Je leur ai rien fait, je leur ai rien fait de mal.

À cet instant, des sacs de contrefaçons plein le dos, et dieu sait d'où il revenait à cette heure de la nuit, Mogambo entra et avec cet accent propre aux Africains, demanda ce qu'il se passait.

— Les types aux bâtons ont frappé Gülsüm.

Alors Mogambo, qui était une armoire, fendit en deux la petite foule et arriva jusqu'à Gülsüm. Lui tirait frénétiquement sur le col de son chemisier en continuant d'expliquer qu'il ne leur avait rien fait de mal, sans se rendre compte qu'il répétait toujours la même phrase. Mogambo fit glisser à terre la guirlande de sacs à main qu'il portait dans le dos, puis il jeta un coup d'œil à tout le monde.

— Sortez, dit-il, je vais parler avec Gülsüm.

On sortit en silence. J'eus encore le temps d'apercevoir Mogambo assis par terre au chevet de Gülsüm, puis on ferma la porte. Je remontai dans ma chambre, d'où j'entendais encore les sanglots de Gülsüm. Puis plus rien… Le silence. Je descendis en courant vers la cuisine.

Emir et le Poète étaient en pleine discussion. La petite Tevhide était assise sur la table.

— Qui a tapé Gülsüm ? me demanda-t-elle quand j'entrai.

— Je ne sais pas.

— Pourquoi ils l'ont tapé ?

— Ça non plus, je ne sais pas.

— Est-ce qu'ils nous taperont nous aussi ?

Emir intervint promptement.

— Non, ma chérie, personne ne nous tapera, jamais.

Le Poète proposa qu'on aille boire un verre et manger un morceau.

— On en profitera pour expliquer à Tevhide que personne ne nous fera jamais de mal.

Les bars et les restaurants avaient déjà commencé à se vider. On s'installa à la première table venue. Le Poète commanda trois rakis au serveur.

— Et une limonade pour madame Tevhide. Qu'est-ce que vous avez à manger ?

Le serveur énuméra la liste des plats, parmi lesquels des côtelettes d'agneau qui ne tombèrent pas dans l'oreille d'une sourde. Tevhide se tourna aussitôt vers son père :

— Il y a des côtelettes d'agneau ?

Emir avala sa salive, la petite veine sous son œil se mit à palpiter.

— C'est combien les côtelettes ? demanda-t-il au serveur.

— Soixante-quatre lires.

Silence. Puis le Poète, souriant, l'air facétieux, demanda au serveur :

— Il y a combien de côtelettes dans un plat ?

— Trois.

— Alors disons que tu nous donnes une seule côtelette, et nous un tiers du prix, ça marche ?

La petite ne perdait pas une miette de la conversation.

— Je crois que ça marche, oui.

— Très bien, une côtelette donc. Et puis une salade de tomates avec un peu de fromage, merci.

Quand le garçon fut reparti, Tevhide interrogea son père :

— Il va m'amener une côtelette ?

— Oui.

Elle était heureuse. Le serveur apporta d'abord les rakis, la limonade, un grand plat de tomates en tranches et de fromage frais. Puis il revint avec une assiette dans laquelle trônaient trois côtelettes d'agneau, qu'il posa devant Tevhide.

— On avait dit une seule, dit Emir d'un ton inquiet.

— Les deux autres sont offertes par la maison.

Emir n'eut pas le temps de répliquer, le Poète avait déjà remercié le serveur, qui confirma qu'on ne paierait qu'un tiers du prix et s'en alla.

— La solidarité entre pauvres, ils ne connaissent pas ça les riches, dit le Poète à Emir avec un sourire moqueur.

Tevhide s'employait à découper sa viande toute seule, très sérieuse et appliquée, le couteau et la fourchette bien serrés dans ses petites mains. Emir fronça les sourcils.

— Et tu n'en offres pas aux autres ? Tu n'as même pas demandé s'ils en voulaient.

La petite se tourna vers nous :

— Vous en voulez ?

— Non merci, Tevhide, mange, c'est tout pour toi.

— Tu vois, ils n'en veulent pas, dit-elle à son père.

— Ils font des politesses, c'est un jeu, il ne faut pas accepter tout de suite.

— Mais qu'est-ce que tu lui racontes, Emir, dis-je à mon tour, elle a cinq ans !

— Eh, si elle n'apprend pas maintenant les bonnes manières, alors quand ?

— Ne t'inquiète pas, elle a tout le temps d'apprendre, conclut le Poète, puis il caressa la tête de Tevhide. Allez ma puce, mange, ne pense à rien d'autre qu'à te régaler.

Il leva son verre :

— À la santé des pauvres !

S'il avait probablement quelques années de plus que nous, il semblait beaucoup plus mûr que son âge, il ne perdait jamais son sang-froid dans les moments d'affolement collectif, il transmettait aux autres une confiance pleine de sérénité. Deux minutes après avoir fait sa connaissance, il vous parlait déjà de vos problèmes existentiels, donnant la sensation d'un homme qui voulait vous aider, et j'avais compris que le profond respect mêlé d'amour que lui montraient tous les habitants de notre auberge espagnole était en soi une aide de cette sorte-là. Quant à moi, il me donnait l'impression d'un homme dont les creux et les saillants de l'âme épousent exactement ceux de l'existence. Il ne me ressemblait pas, il était partie prenante de la vie, il était dedans, il savait que chaque problème a sa solution. Je l'enviais.

Nous sommes restés plus d'une heure à table, le dîner entrecoupé des toasts ironiques du Poète aux "princes des pauvres", de ses tirades sur "l'inconscient de classe", de ses histoires drôles et de ses blagues qui faisaient rire Tevhide. On partagea l'addition équitablement ; nous étions tous un peu ivres, bien qu'ayant peu bu. Emir avait pris sa fille dans ses bras, elle tombait de sommeil. En partant, le Poète lança avec un sourire :

— Bonne nuit, nobles camarades, les pauvres vous saluent !

L'immeuble était silencieux. Plongé dans l'obscurité. Je me couchai sans demander mon reste.

Le lendemain j'étais debout très tôt. Je ne voulais pas rater le cours de madame Nermin. Il venait à peine de commencer quand j'entrai dans l'amphi, que madame Nermin arpentait déjà en racontant :

— La critique est l'une des branches les plus importantes de la littérature. Vous ne devez jamais oublier qu'elle lui appartient de plein droit, la valeur littéraire d'une critique dépendant alors soit de celle de l'œuvre qu'elle critique, soit du mérite que retire cette œuvre à être critiquée.

Elle fit une pause, toisa un instant l'assistance, puis reprit :

— Je ne sais pas s'il y a dans cette classe de futurs écrivains, mais un ou deux critiques en devenir, assurément. Et s'il y a parmi vous des imbéciles qui penseraient qu'être critique est plus facile qu'être écrivain, et choisiraient ainsi la première option par facilité, je leur déconseille tout de suite de se lancer dans la carrière. Car il est plus dur de trouver un bon critique qu'un bon écrivain. Le critique littéraire de talent est une espèce rare, en voie de disparition à vrai dire. Essayez donc d'écrire un papier à peu près lisible après ces siècles qui nous ont donné des Boileau, des Sainte-Beuve, des Belinski... Vous devrez faire preuve d'intuition et de flair, tel le susnommé Belinski qui, dès le premier livre de Dostoïevski, *Les Pauvres Gens*, avait reconnu et annoncé avant tout le monde le génie qui éclaterait avec *Les Frères Karamazov*. Voilà l'intelligence qu'il faut.

Soudain, elle éclata de rire :

— À l'évidence, s'il s'agit de repérer les signes du génie dans un livre pareil, le flair ne suffit pas, il faut également un don d'oracle, ce que nous ne sommes pas en droit d'attendre de tout le monde.

Elle reprit son sérieux.

— N'oubliez pas non plus ceci : que la critique n'est pas un snobisme. Ce n'est pas une compétition narcissique à qui aura compris le livre auquel personne n'a rien compris. Ce n'est pas un métier qui consiste à humilier le lecteur. Les critiques du vingtième siècle, en portant systématiquement aux nues des livres qui tombaient des mains de leurs lecteurs, ont ouvert le champ littéraire à l'incompréhension, à l'ennui, au manque de goût, dans des proportions faramineuses… Borges donnait des cours sur le *Finnegans Wake* de Joyce, qu'il n'avait jamais réussi à finir… Ne donnez pas de cours sur des livres qui vous tombent des mains, n'écrivez jamais d'article sur des œuvres que vous n'avez pas pu lire jusqu'au bout. On reconnaît un bon livre à de nombreux critères, plus ou moins évidents, du reste, mais le premier d'entre eux est tout de même de pouvoir le lire en entier sans s'ennuyer. Si vous n'avez pas réussi à finir le *Finnegans Wake*, c'est donc que c'est pour vous un mauvais livre… Un autre l'aura lu en entier, et dira que c'est un bon livre. Ce que j'appelle snobisme est précisément cette attitude qui consiste à encenser un livre que personne ne lit, et de faire de cette illisibilité partout attestée une valeur en soi.

J'aimais entendre parler madame Nermin, j'aimais ce qu'elle disait. En général les cours m'ennuyaient, sauf ceux de monsieur Kaan et de madame Nermin, d'où je sortais toujours avec le même sentiment : c'est ici chez moi, cette université, ces cours, ces discussions, ces débats. Ma place était dans ce monde hors du monde, ce monde privilégié et protégé où les réalités de l'existence, avec leurs laideurs et leurs douleurs, étaient enfin révélées, sues, comprises, et qui en les nommant leur donnait une valeur et un éclat nouveaux, proprement miraculeux. Je pourrais devenir critique littéraire, pensai-je après le cours de madame Nermin. Dehors j'étais quelqu'un d'autre, certes, mais ici je me sentais honnête et courageux.

Je retrouvai Sıla après les cours.

— Si on allait boire une bière et manger des beignets de moules au bord de la mer ? proposa-t-elle.
Ensuite on ira au cinéma.

À force de s'habituer à être pauvre, elle devenait
dispendieuse.

J'ignore si c'était parce que faire l'amour avec moi
ne l'excitait pas trop, ou bien parce que le faire dans
ma chambre d'étudiant la mettait mal à l'aise, toujours est-il que nous allions assez peu régulièrement
chez moi. Et quand on y allait, c'était parce qu'elle
l'avait décidé. Ça n'avait rien de systématique. Parfois nous y étions trois jours de suite, parfois une
semaine passait sans qu'elle vînt.

Nous avions trouvé un restaurant en bord de
mer, ils avaient d'excellentes brochettes de beignets
de moules. Autour d'une bière, je lui racontai la
mésaventure de Gülsüm, comment il répétait "je
leur ai rien fait de mal" en pleurant, et comment
Mogambo avait dit à tout le monde de sortir pour
rester seul avec lui.

— Moi je n'aurais pas pu faire ça, dis-je en commentaire.

— Chacun fait ce qu'il peut. L'essentiel, c'est de
savoir ce qu'on peut et ce qui est au-dessus de nos
forces.

En public on ne se tenait jamais la main, on ne
s'embrassait pas, on ne parlait pas de nos sentiments l'un pour l'autre. J'étais incapable de définir ce qu'était notre relation, même si au fond, je
me fichais assez de lui donner un nom. Ça m'allait
plutôt bien, d'ailleurs, mon sentiment de culpabilité s'en trouvait diminué.

— Je suis encore tombée sur Yakup à la sortie
des cours l'autre jour, dit-elle.

— Sérieusement ?

— Il passait par là, il m'a dit. J'ai été obligée de me faire déposer à l'endroit où il nous avait laissés l'autre fois, histoire qu'il soit persuadé que j'habite là, puis j'ai pris le bus et je suis rentrée. Il m'aura fait perdre un sacré temps.

— Et qu'est-ce qu'il raconte ?

— Ses aventures d'entrepreneur du bâtiment, tout le pognon qu'il se fait, ces choses-là… Après la tempête qu'il y a eu ces derniers jours, les routes se sont effondrées… Mais il y a un côté positif à tout, il m'a dit en riant, le maire de la ville leur a confié le contrat d'entretien et de réparation… Il s'en vantait sans vergogne… Mais tu sais, avant il n'était pas aussi insolent, c'était un homme droit, honnête, on pouvait lui faire confiance… Je ne comprends pas comment il a pu changer autant… Les gens ont toujours été comme ça, ou bien nous étions aveugles, ou alors quoi ?

Puis, sans me laisser le temps de répondre, elle me demanda si je me souvenais de la nouvelle d'Ömer Seyfettin, *Les Talons hauts*.

— Oui, bien sûr, répondis-je, curieux de savoir ce qui lui inspirait cette association.

Elle se mit à raconter comme si je découvrais le récit pour la première fois :

— C'est l'histoire d'une femme très riche et toute petite. Elle se promène toujours montée sur des talons hauts qu'on entend résonner dans toute sa villa. Sa maison est très bien tenue, le personnel est honnête, fidèle, dévoué. Un jour, elle se tord la cheville, et doit désormais porter des pantoufles plates qui ne font aucun bruit. Pendant que le cuisinier se fait voler, on découvre aussi le jardinier en pleine affaire avec la bonne. La maisonnée part à vau-l'eau. Puis la maîtresse de maison remet ses talons hauts, et tout rentre dans l'ordre.

Elle souriait.

— Ne serait-ce pas parce que nous aussi, nous avons enlevé nos talons, que nous commençons à voir le vrai visage des gens ? Et s'il n'avait jamais changé, en fait ?

Après une pause, elle continua sur sa lancée :

— Et si nous pouvions remettre nos talons, tout ne s'arrangerait-il pas ?

— Mais nous avons découvert aussi plein de gens bien, en enlevant nos talons. Des gens que nous n'aurions pas vu avant…

— C'est vrai, dit-elle après un temps de réflexion, mais personnellement je préférerais quand même remonter sur mes grands talons.

En sortant du déjeuner, nous sommes allés au cinéma. Nous étions assis côte à côte dans l'ombre, nos bras se touchaient, j'aimais sa chaleur. Après le film, nous avons pris un café, elle m'a demandé l'heure, j'ai regardé l'horloge au mur.

— C'est tard, dit-elle, dommage, on aurait pu aller chez toi.

— C'est encore jouable, lui dis-je.

— Que font tes fermiers ?

— Ils vont au bal…

Elle serra doucement mon bras.

— La prochaine fois, on ira avec eux.

Cette sensation de proximité était réellement délicieuse. J'étais ému par cette incroyable intimité qui peut s'établir entre deux êtres, par ces mots dont on sait qu'ils ne seront jamais dits à personne d'autre, jamais répétés devant quelqu'un d'autre, par le spectacle enfin d'une nudité qu'on est le seul autorisé à contempler ; ça me bouleversait toujours. Les femmes sont très douées pour créer une telle atmosphère.

Je la déposai chez elle et retournai à l'auberge, passant d'abord par la cuisine, d'où le Poète sortait justement.

— Je vais t'apporter un ou deux textes, dit-il, pour la rédaction… Tu n'as pas changé d'avis, hein ?

— Apporte-les moi, je n'ai pas changé d'avis.

Dans ma chambre, les fermiers étaient là, en partance pour le bal. C'étaient mes compagnons les plus fidèles, ils ne m'abandonneraient jamais. On enregistrait une émission ce soir-là, et comme d'habitude je me demandais si madame Hayat viendrait.

Elle ne vint pas.

L'ambiance dans le studio était bizarre, les spectateurs applaudissaient, dansaient et chantonnaient toujours, mais on sentait une espèce de tension, de tristesse. La pause venue, je fis un tour dans le couloir. Un silence de mort. Les gens ne parlaient pas. Je retrouvai la femme qui croyait que j'étais artiste parce que j'étais grand.

— Tout le monde a l'air déprimé, lui dis-je, qu'est-ce qu'il se passe ?

— La fille de Kalender est morte.

— Qui est Kalender ?

— Tu l'as déjà croisée, une femme discrète, douce, plutôt jeune, elle s'assied généralement à droite du plateau.

J'avais compris de qui il s'agissait : c'était la femme que j'avais vue en train de discuter avec madame Hayat, devant la porte des coulisses, quelques jours plus tôt.

— Comment est-elle morte ?

— La rougeole…

— On meurt de la rougeole à notre époque ?

— Ils lui ont donné les mauvais médicaments, pauvre petite. Les obsèques sont demain, j'y serai.

— Moi aussi je peux venir ?

— Bien sûr. C'est comme les mariages, les enterrements… La cérémonie aura lieu après la prière du midi.

Elle me donna l'adresse de la mosquée.

Il suffit parfois d'un événement pour que, par la porte que celui-ci ouvre dans sa conscience, l'homme soit amené à découvrir, en pleine clarté et avec tout l'effroi que ce spectacle suscite, les ruines, les marécages et les déchets de son âme. La vérité, c'était que j'irais à l'enterrement de la pauvre gamine dans le seul espoir d'y voir madame Hayat. Si j'avais su qu'elle n'y allait pas, je serais resté chez moi. Se servir de l'enterrement d'un enfant est une chose infâme. Du reste, mon unique motivation était si transparente que je ne pouvais même pas me mentir à moi-même en me réfugiant derrière un quelconque autre prétexte ou alibi. J'étais pris en flagrant délit et ça me faisait honte.

Je résolus dans la soirée de ne pas aller à l'enterrement le lendemain ; mais d'un autre côté, refuser de me joindre à ceux qui partageaient la peine de cette femme me parut tout aussi égoïste et encore plus malhonnête. J'avais tellement l'habitude de me jeter de moi-même dans ce genre d'impasses étranges qu'il me paraissait impossible que j'en ressorte un jour en homme droit, honnête, bon.

J'allai à l'enterrement.

La cérémonie avait lieu dans une mosquée attenante à un cimetière, quelque part dans une banlieue de la ville. L'édifice était minuscule, mais assorti d'une jolie fontaine et d'un minaret élancé, il avait la belle régularité d'un anneau de pierre qui s'élève paisiblement vers l'infini. On sentait que l'architecte avait été un homme de goût, un épicurien qui voulait que les pauvres gens puissent quitter ce monde environnés d'une grâce et d'une élégance qu'ils n'avaient peut-être jamais eu l'occasion de croiser de leur vivant. Madame Hayat était là. Elle portait un pantalon noir et une veste de la même couleur, son visage, comme celui des autres femmes, était enveloppé d'un foulard. Elle se tenait à côté de Kalender, le bras passé autour de sa taille. Kalender semblait sur le point de défaillir. Deux ou trois fois, elle vacilla, et madame Hayat dut la retenir de tomber.

Après la prière, les hommes portèrent le cercueil. J'en tenais une extrémité moi aussi. La légèreté de ce cercueil vous fendait le cœur.

Arrivée à l'entrée du cimetière, Kalender éclata soudain :

— Enterrez-moi avec ma fille ! hurlait-elle. Ma fille, mon trésor, où vas-tu ? Où t'en vas-tu ma toute petite ?

Je repensais à Tolstoï après la mort de son fils de sept ans, quand il courait à travers champs en beuglant : "La mort n'existe pas ! La mort n'existe pas !" Ils refermèrent la tombe. Sa famille raccompagna Kalender. La petite foule disparut du cimetière comme se dissipe un nuage de fumée.

Des noms étaient inscrits sur les pierres tombales à l'ombre des grands cyprès, parfois il y avait aussi une photo du défunt. Pourquoi enterre-t-on tous les morts au même endroit, pensai-je alors, pourquoi les sépare-t-on aussi radicalement des vivants ? Ils ont tous vécu, pourtant. Le cliché était tellement rebattu qu'il en devenait comique. Quant au hasard, c'était l'alignement de tous ces corps côte à côte. Eux ne savaient pas à côté de qui ils gisaient. Jetés hors du temps qu'ils avaient vécu entourés de ceux qu'ils aimaient, voilà qu'ils se retrouvaient au milieu de milliers de gens qu'ils ne connaissaient pas, et pour un temps autrement plus long. Et leurs cadavres rassemblés donneraient vie aux mêmes arbres, aux mêmes insectes, aux mêmes fleurs. L'espace d'une seconde, j'imaginai tous les morts sortir de leurs tombes et se lever, des milliers de morts qui se regarderaient d'un air étonné, cherchant sans doute à cacher leur nudité, une nudité qui les effraieraient plus que la mort. Être morts ne leur ferait rien. Sans doute que la mort est devenue un cliché qui ne mérite même plus qu'on en parle, tout le monde croit savoir ce que c'est. Et l'on ne voit pas à quel point il est étrange de croire connaître quelque chose que par définition, on ne peut qu'ignorer.

Madame Hayat déambulait avec moi au milieu des tombes. Elle n'avait pas retiré son foulard.

— Un très grand écrivain, lui dis-je, à la mort de son fils, s'est mis à courir comme un fou dans les champs en criant : la mort n'existe pas, la mort n'existe pas.

— La mort existe.

La plupart des tombes étaient bien entretenues, fraîchement fleuries. Madame Hayat se dirigea vers l'une des seules qu'un peu d'herbe commençait à recouvrir. C'était la tombe d'une femme. Elle enleva l'herbe à la main, puis essuya la poussière avec une lingette sortie de son sac. Elle appela ensuite un employé du cimetière qui portait des arrosoirs en plastique, et lui donna un peu d'argent pour qu'il arrosât la terre autour de la tombe. Elle arracha quelques fleurs qui poussaient là et les déposa sur la pierre, puis fit un pas de retrait pour contempler la tombe nettoyée. Je me dis que ce devait être celle de sa mère.

— C'est ta mère ?

— Non… Je ne la connais pas.

— Mais…

— Elle était comme une orpheline au milieu des autres, peut-être que personne ne vient jamais s'y recueillir, il fallait réparer ça.

Je ne pus pas m'empêcher de plaisanter :

— Tu crois qu'elle te voit ?

— Parce que j'ai besoin qu'on me voie pour faire une bonne action ?

Je ne savais pas quoi répondre.

— Tu as volé des fleurs aux autres, dis-je enfin.

Elle me répondit posément :

— Suivre les règles est parfois ennuyeux, et ce n'est pas toujours juste. Il faut savoir choisir son moment.

En sortant du cimetière elle se débarrassa de son foulard et le mit dans son sac.

— Maintenant il nous faut un sacré remontant, dit-elle. Est-ce que notre Marc Antoine est prêt pour une belle ivresse ? Cette fois on va picoler sec, comme il sied à la mort.

Nous avons trouvé un bistrot près du cimetière. Pendant que nous attendions les boissons, je demandai à madame Hayat si elle croyait en Dieu. Je l'avais vu prier tout à l'heure.

— Parfois. Mais pas aujourd'hui… Et puis, Dieu aussi a des absences.

Les boissons arrivèrent. Elle resta un moment le verre à la main, parlant comme pour elle-même :

— Est-ce qu'il laisse la boutique aux employés et s'en va faire un tour, je ne sais pas.

Nous avons vraiment "picolé sec". Ivres morts en rentrant chez elle. Droit à la chambre à coucher. En se déshabillant, elle me lança :

— Ce soir on va prendre une belle revanche sur la mort. Mais pour ça va falloir que tu te dépenses, mon garçon.

La revanche fut prise.

Je la vis pleurer, pour la première fois, juste avant de s'endormir.

— Des enfants, Marc Antoine, c'est des enfants…

Le lendemain matin, le réveil fut pénible. Au petit-déjeuner, la conversation porta sur la mort.

— Spinoza dit que chaque créature désire persévérer dans son être.

Elle mâchait goulûment un quartier d'orange, puis, entre deux bouchées, répondit :

— Tu diras à ton ami que celui qui a créé ladite créature se fiche pas mal de ce qu'elle désire ou non.

— Ce n'est pas mon ami, c'est un philosophe très célèbre.

— Ah, il est mort…

Elle avait parfois des réponses si absurdes qu'il me fallait un bon moment avant de réussir à enchaîner.

— Comment ça il est mort, je ne comprends pas…

— Ce n'est pas quand ils sont morts que vous les appelez philosophes ? On peut dire ça aussi pour quelqu'un qui est encore en vie ?

Elle parlait des philosophes comme elle aurait parlé de loutres.

— Oui, bien sûr, même si pour les vivants on parle généralement de professeurs de philosophie.

— Alors ils montent en grade avec la mort ?

Elle me faisait rire.

— Je ne sais pas, peut-être.

Puis je repris en essayant d'être sérieux :

— Spinoza était un homme extraordinaire, un philosophe merveilleux.

— Et ils font quoi exactement comme travail, tes philosophes ?

— Ils essaient de créer un système capable de résoudre le mystère de l'existence.

— Et alors, ils ont trouvé la solution ?

— Chacun a sa propre interprétation.

— Donc ils n'ont pas trouvé…

Je baissai la tête.

— Non, ils n'ont pas trouvé.

— Moi non plus. Est-ce qu'à ma mort je deviendrai une grande philosophe ?

— Je ne crois pas, non.

— Bien, et si j'écris un livre d'une ligne qui dit : il n'y a aucun mystère de l'existence, bande d'abrutis, je serais philosophe ?

— Je ne crois pas non plus.

— Eh quoi alors ? C'est parce que je suis une femme, c'est ça ?

Elle se moquait complètement de moi, en ricanant, comme d'habitude dans ce genre de discussions.

— Ça ne sert à rien, tous ces livres que tu lis, Marc Antoine. Personne n'en sait plus sur la vie que moi, faites-moi confiance.

— N'exagérons pas notre ignorance, lui répondis-je en riant.

— Très bien, alors toi qui as lu tant de livres, explique-moi un peu ce qu'est la vie ? Son mystère ? Sa finalité ?

Voyant que je restai muet, elle continua :

— Je reconnais que c'est difficile, je le laisse de côté pour l'instant. Commençons plutôt par une question simple : pourquoi les cafards changent soudain de direction au milieu de leur course ?

— Je n'en sais rien.

— Personne n'en sait rien !

Elle riait de si bon cœur que je me suis dit que je pourrais passer ma vie à discuter de philosophie avec elle.

— L'autre jour j'ai regardé un documentaire sur les quanta, dit-elle.

— Les quanta ?

— Oui, c'est comme ça qu'on appelle ces toutes petites particules qui sont à l'intérieur de l'atome. On dit un quantum, des quanta.

— Je sais ce que c'est qu'un quantum, merci. Mais il y a des documentaires là-dessus à la télé ?

— Bien sûr… Il y a des documentaires sur tout.

Elle devint tout à fait sérieuse, et moi aussi.

— Ils ont fait une expérience très étrange. Un truc qu'ils appellent l'expérience des deux fentes. Dans ces atomes, tu le sais, il y a des électrons. Quand ils mettent un détecteur au niveau des fentes par lesquels ils passent, les électrons se comportent comme des grains de sable. Mais dès qu'ils enlèvent le détecteur, tout à coup ils changent d'attitude et se comportent comme des vagues de lumière. Si tu les regardes, ils jouent au sable, si tu tournes le dos ils font des vagues… Tu vois comme ils sont cachottiers nos petits électrons ?

Je n'avais jamais entendu parler de cette expérience.

— Vraiment ?

Et elle, comme une petite fille :

— Je te jure ! Je l'ai vu il y a deux jours. Ces bestioles ne suivent aucune règle, aucun système. Si les petites sont comme ça, je te laisse imaginer les grandes…

Puis elle changea complètement de sujet :

— On va au marché ? Il n'y a plus rien à manger, et c'est amusant, le marché. J'adore cet endroit.

Nous avions commencé par la mort, de là les quanta, et maintenant le marché.

— En fait c'est toi l'électron, on ne sait jamais ni d'où tu arrives ni où tu vas.

— Tu peux rester à la maison si tu veux, j'y vais et je reviens.

Je ne voulais pas être séparé d'elle, pas en cet instant. Je n'étais jamais allé au marché de ma vie. Il y avait un monde fou. Serrés les uns contre les autres, les étals débordaient de fruits et de légumes appétissants ; les vendeurs vantaient leur marchandise en hurlant à qui mieux mieux, arrosant de l'autre main leurs fruits et leurs légumes avec un petit seau en fer-blanc. Un parfum frais et mouillé vous envahissait les narines. Au-dessus des étals, accrochés à des piquets en bois, des auvents en grosse toile battaient sous la brise. Sillonnant d'un étal à l'autre à la recherche des produits les plus frais et les moins chers, les clients marchandaient âprement avec les vendeurs. La densité de la foule avait quelque chose de vertigineux et d'enivrant comme un alcool. Toutes ces couleurs, ces odeurs et ces voix me faisaient tourner la tête. Je passais mon temps à bousculer des gens et à m'excuser. Madame Hayat, elle, avançait sans bousculer personne, elle dégustait les fruits qu'on lui proposait, elle marchandait à tours de bras comme un gosse s'amuse avec un joujou, disait "à ce prix-là ? mais c'est du vol, ma sœur !" sur un ton gémissant, puis la seconde d'après payait le tout au prix demandé dès le début, et me tendait un sac plein à craquer. Je ne savais même pas porter un sac, ni circuler correctement au milieu d'un marché… Je faisais tomber des pommes, en les ramassant c'étaient les patates qui fichaient le camp, et je me cognais la tête contre les étals en essayant de rattraper le tout. Madame Hayat me regardait m'échiner en riant, sans lever le petit doigt pour m'aider.

— Tu n'as vraiment pas pitié, hein ?

— Non, mais toi, mon petit Marc Antoine, tu apprends le mystère de l'existence.

Personne ne s'était jamais payé ma tronche avec un sourire aussi doux. J'apprenais que l'amour peut se parer de sourires et de tonalités insoupçonnés. Je ne sais pas pourquoi, mais jusque-là j'avais imaginé l'amour comme un sentiment plus lourd, plus profond, voire plus douloureux, tandis que celui que j'éprouvais en ce moment, très joyeux quoique tout aussi fort, me donnait une sensation de souveraine légèreté, comme si à tout instant je pouvais décoller et m'envoler loin au-dessus de la terre. Et à chaque rire de madame Hayat, à chacune de ses tendres moqueries, enfin à tout ce qui d'ordinaire vous abaisse et vous éloigne, je me sentais plus lié à elle, plus léger, plus aérien. Ce n'est que bien plus tard, errant seul dans les rues comme un aveugle, que je devais comprendre la profondeur du lien que cette légèreté sait créer, avec quelle facilité il vous noue à l'autre, et combien il vous étrangle de chagrin quand il a disparu.

— Je vais prendre une douche, dit-elle en rentrant chez elle.

— Moi aussi.

— Tu veux dire, ensemble ?

— Pourquoi pas ?

— Viens…

Après nous être douchés, je l'aidai à la cuisine. Nous ressemblions à un couple de jeunes mariés, pensai-je, qui vont au marché ensemble, qui prennent leur douche ensemble, qui préparent ensemble le repas. Cette image devint un fantasme, je me rêvais son mari. Un fantasme très excitant. Si elle l'avait voulu, je l'aurais épousée sur-le-champ.

Je ne savais pas cuisiner, je n'avais pas la moindre idée de ce qu'il fallait faire ni comment. Mon ingénuité l'amusait beaucoup.

— Tu as lu un paquet de livres, mais tu ne sais pas ce qu'est le mystère de la vie, ni faire à manger. Les deux choses les plus essentielles.

Après le dîner, on regarda un documentaire sur les fleurs. La voix off expliquait comment les fleurs s'y prenaient pour attirer les insectes. Trois éléments : le parfum, l'apparence, le nectar.

— Qu'est-ce que ça t'enseigne ? dit madame Hayat.

— Je ne sais pas… Quoi ?

— Ah Marc Antoine, quel bêta tu fais… Les femmes, mon garçon ! Le parfum, l'apparence, le nectar, c'est pourtant clair !

Une certaine variété d'orchidées, dite orchidée des abeilles, était, selon l'expression de madame Hayat, la "plus pute" de toutes. La fleur imitait l'abeille femelle,

elle en répandait l'odeur autour d'elle. Les abeilles mâles se pressaient sur l'orchidée, et ses pollens se collaient à leurs pattes. Ce pollen, à son tour, attirait les abeilles femelles. La nature était traversée de copulations permanentes, c'était un superbe et éternel accouplement... Elle semblait d'ailleurs ne pas avoir d'autre but, la nature, elle se comportait exactement comme une duègne qui passe son temps à présenter des mâles aux femelles et vice-versa. J'avais compris l'idée, mais la finalité de tout ça m'échappait toujours, car enfin, ouvrir des gigantesques bordels aux quatre coins de l'univers, quel but est-ce donc ?

Le lendemain j'étais debout de bonne heure, j'avais cours. J'étais épuisé et très heureux. Je retournai me changer en vitesse chez moi, en passant d'abord par la cuisine pour boire un thé, quand je fus soudain pris d'un tremblement de terreur vraiment inouï, une sensation jamais éprouvée, je sentais mon cerveau rebondir dans mon crâne.

Sıla était assise au bout de la grande table.

Elle était blême. Les yeux rougis. La fatigue et la tristesse comprimaient son visage comme un masque de fer. Ma première pensée fut qu'elle m'avait surprise avec madame Hayat la nuit dernière, et qu'elle venait me demander des comptes.

— Qu'est-ce qu'il se passe, Sıla ?

— Ils ont emmené mon père.

— Qui l'a emmené ?

— Les flics.

— Quand ?

— Ce matin très tôt.

— Pour l'emmener où ?

— Je ne sais pas... Ma mère a appelé un avocat qu'elle connaît, il a dit qu'il s'en occuperait, mais je ne suis pas sûr qu'il le fasse, les avocats aussi se font arrêter. Ils ont peur, eux aussi. Je ne savais pas quoi faire, alors je suis venue, et comme tu n'étais pas dans ta chambre je t'ai attendu ici.

Le Poète entra, la mine ensommeillée.

— Où est-ce que les flics emmènent les gens qu'ils arrêtent ? lui demandai-je.

— À la Direction générale de la Sécurité… Qui a été arrêté ?

Je ne savais pas s'il fallait répondre ou non, je jetai un coup d'œil indécis à Sıla, qui finit par dire :

— C'est mon père.

— Allez à la Direction générale de la Sécurité, dit le Poète, vous n'aurez probablement pas le droit de le voir, mais peut-être qu'ils vous donneront des informations.

— C'est où, cette Direction générale ?

Il nous expliqua le chemin. Nous étions aussitôt dehors. J'avais beau m'être douché le matin, je craignais qu'elle pût encore sentir le parfum de madame Hayat sur mes vêtements. C'était une crainte déplacée et parfaitement honteuse, je l'admets, mais elle était bien réelle et je n'arrivais pas à m'en défaire.

Une fois dans la voiture, Sıla me demanda où j'avais passé la nuit, sur un ton glacial.

— J'étais chez un copain.

Elle fit seulement "hmm" et ne dit pas un mot de plus.

La Direction générale de la Sécurité était un bâtiment énorme, une sorte de château fort, avec un grand parc en béton où étaient garées les voitures de police, et des grilles en fer de tous les côtés. Deux policiers montaient la garde devant le portail d'entrée, mitraillette automatique à la main. On s'approcha.

— Excusez… commença Sıla, mais le policier ne lui laissa pas le temps de finir sa phrase :

— Je n'excuse pas. Maintenant partez.

Je n'imaginais pas qu'on puisse se conduire avec autant d'hostilité et de haine en face d'une personne qu'on n'avait jamais vue. C'était à vous glacer le sang.

— Mon père, reprit Sıla, mais, de nouveau :

— Je vous ai dit de vous tirer !

Il fit un pas vers elle comme s'il allait la cogner. Elle recula.

— Je veux juste, mais le policier hurla :

— Elle parle encore, casse-toi j'ai dit !

Je la tirai en arrière et m'interposai entre elle et le policier.

— Par où sortent ceux qui sont relâchés ? dis-je à toute vitesse avant qu'il eût le temps de m'interrompre.

Il montra une petite porte sur le côté du bâtiment.

— Par là, dit-il, puis sur le même ton hostile, si tant est qu'on les relâche… Allez, foutez-moi le camp.

Je dis à Sıla de me suivre. Sur le trottoir d'en face on apercevait plusieurs cafés côte à côte.

— Allons attendre là-bas, si ton père sort on le verra.

Il n'y avait que des femmes dans ces cafés ; en temps normal, ils étaient fréquentés uniquement par des hommes. Elles attendaient leurs maris, leurs pères, leurs frères, leurs enfants. Nous choisîmes celui qui paraissait le plus vide. On avait de la chance : deux femmes assises à une table contre la vitre venaient justement de se lever.

— Vous partez ?

Oui, mais elles reviendraient plus tard, dit l'une des deux. Nous avions trouvé notre poste d'observation.

La petite porte était juste en face de nous, de l'autre côté de la rue.

— Tu as faim ?

— Je n'ai rien mangé mais je n'ai pas faim, répondit Sıla.

— Commande un thé, je vais nous trouver quelque chose à manger.

Il y avait une pâtisserie juste derrière le café. J'achetai des brioches au sésame. Sıla mangea lentement, avec réticence, je dus presque la forcer.

L'attente commençait.

Le silence glacial du petit café était de temps en temps brisé par les tintements des verres de thé que le serveur manipulait, d'une table à l'autre, son plateau à la main. Les femmes parlaient entre elles en chuchotant, les yeux tournés vers la même petite porte que nous, comme si en élevant la voix elles craignaient de porter malheur à ceux qu'elles espéraient voir bientôt sortir. L'inquiétude et l'impuissance sourdaient de ces conciliabules presque muets. Tous les visages, les nôtres inclus, étaient marqués par la peur et la colère, un ahurissement qui oscillait entre l'espoir et le désespoir, et par l'angoisse du lendemain, de ce futur parfaitement imprévisible, comme si on avait distribué le même masque à tous les clients du café.

Le jour tombait, il fit bientôt nuit noire.

— Tu as une photo de ton père sur toi ?

— Oui, pourquoi ?

— Montre-la moi.

— Mais pourquoi ?

— Fais voir je te dis ! criai-je d'une voix irritée.

Elle sortit une photo de son portefeuille et me la montra. C'était un bel homme, soigné, l'air plutôt content de lui.

— Très bien, dis-je, s'il sort je le reconnaîtrai... Prends la voiture et rentre chez toi, tu es épuisée, tu reviendras quand tu seras un peu reposée.

— Tu n'as pas l'air très reposé non plus...

Je fis semblant de ne pas saisir le sous-entendu.

— On ne sait pas combien de temps il nous faudra attendre, continuai-je, mais si on ne se relaie pas, on va finir par s'endormir sur notre chaise et on ne verra pas ton père sortir.

Mon raisonnement était logique, et la logique avait toujours raison de Sıla.

— D'accord, alors je suis de retour dans trois heures.

— Prends ton temps, repose-toi.

Nous avons monté la garde quatre jours de suite. Nous prenions notre pause chacun son tour, le temps d'une sieste et de se changer. Je n'allais plus ni au studio de télé ni à l'université, et même si je craignais évidemment que madame Hayat s'inquiétât de mon absence, il n'y avait ces jours-là qu'un seul enregistrement au programme, mon absence d'un soir n'avait aucune raison de l'affoler. Le deuxième jour de notre veille, Sıla me demanda :

— C'était qui ce copain chez qui tu as passé la nuit ?

Le mensonge sortit de ma bouche à une vitesse stupéfiante :

— Un copain avec qui j'ai habité avant, mon colocataire de l'époque. Il y avait aussi quelques gars de ma classe.

Elle me toisa un instant, suspicieuse, l'air de ne pas réussir à décider si elle devait me croire ou non. Elle ne dit rien.

Un soir que je retournai chez moi pour me changer, je croisai le Poète sur le pas de la porte. Nous montâmes les escaliers ensemble.

— Vous avez des nouvelles ? me demanda-t-il.

— Non, on attend… Tu as déjà été arrêté, toi ?

— Quelques fois.

— C'était comment ?

— Atroce.

Puis, avec un sourire amer, il ajouta :

— En plus je commence à souffrir de claustrophobie, dès que je suis dans un endroit fermé j'ai l'impression que je vais mourir.

— Mais alors pourquoi…

— Pourquoi je continue avec la revue ?

— Exactement.

— Comment je pourrais baisser les bras, maintenant que j'ai découvert ce qu'ils infligent à nos concitoyens, et alors même que je le sais de mieux en mieux ?

— Mais…

— Pas de mais. C'est comme ça. Quand tu as vu les choses en face une fois, tu ne peux plus fermer les yeux, c'est fini. Ça explique d'ailleurs pourquoi les gens préfèrent rester aveugles…

Le soir du troisième jour, avec Sıla nous avions trouvé un jeu pour tuer l'angoisse et l'ennui. L'un de nous deux disait une phrase, une maxime, un morceau de scène, et l'autre devait dire de quel écrivain était la citation.

— "L'amitié est avant tout certitude, c'est ce qui la distingue de l'amour."

— Yourcenar.

— "Ce sont non seulement nos défauts personnels qui nous minent le moral, mais encore les malheurs que nous n'avons pas voulus."

— Henry James.

— "En l'absence de meilleur modèle, tel le Créateur, nous avons fini par tout faire à notre image."

— Je ne sais pas. De qui est-ce ?

— Brodsky.

— "Des hommes dotés d'une cuirasse impénétrable, qui mènent jusqu'au bout un combat perdu
d'avance, c'est ce qu'on rencontre rarement."

— Ça ne peut être que Conrad, qui d'autre ?

— "Les idées reçues des femmes ne sont pas les
mêmes que celles des hommes."

— D. H. Lawrence.

— "Ce n'est pas un fonctionnaire, c'est un cham-
pignon."

Elle éclata de rire si fort qu'elle dut se couvrir la
bouche avec les mains. Tout le café nous regardait.

— Tu me fais rire… Comment ça t'est venu ?
Gogol !

Quatre jours et quatre nuits de suite à la même
table, elle et moi, à avoir faim et à manger goulûment, à jouer, à parler et à se taire, les yeux toujours fixés sur la petite porte de l'autre côté. Nous
étions liés par le chagrin, l'inquiétude, l'impuissance, l'épuisement, comme par un fil d'acier qui
nous enlaçait l'un contre l'autre. Je ne la consolais
pas : notre proximité allait au-delà de la consolation. Parfois ses yeux se gonflaient de larmes, elle
me prenait la main et la serrait longuement. Nous
étions comme frères et amants.

— Je n'oublierai jamais ce que tu fais pour moi,
dit-elle une fois, une seule fois.

Je n'avais rien su répondre.

Au matin du quatrième jour, Sıla se leva d'un
bond en criant :

— Papa !

Un homme se tenait devant la petite porte. Elle
traversa la rue en courant, je dus la retenir plusieurs

fois pour l'empêcher de se faire écraser. Elle tomba dans les bras de son père :

— Papa, comment vas-tu ?

Sa barbe avait poussé, ses traits étaient tirés, il avait des poches sous les yeux. Ses vêtements étaient sales.

— Je vais bien, ma fille, je vais bien.

— Que s'est-il passé ?

— Ils m'ont fait signer un papier qui stipule que je renonce à engager un procès pour récupérer mes biens.

— Allez, partons d'ici, dit Sıla.

On prit la voiture, son père derrière, Sıla à côté de moi à l'avant.

— Fazıl est resté avec moi tous les jours à t'attendre.

Son père me regarda.

— Merci, dit-il, vous aussi aurez eu des problèmes par ma faute.

Je les déposai devant chez eux.

— Attends-moi ici un instant, dit Sıla.

Je l'attendis. Une demi-heure plus tard, elle était de retour.

— Emmène-moi dans un endroit où il y a du vent, beaucoup de vent, dit-elle en montant, je veux le sentir souffler comme un fou.

Je l'amenai en haut d'une colline, à l'endroit où le Bosphore rejoint la mer.

— Attends-moi, dit-elle en refermant la portière. Elle tourna son visage vers la mer.

Le vent du nord soufflait fortement. Je l'entendais mugir depuis la voiture. Elle, dehors, se tenait face au vent. Les bras grands ouverts. Elle resta longtemps ainsi, immobile, abandonnée à la force du vent. Elle paraissait s'embraser.

Puis elle revint à la voiture.

— Je suis gelée, ramène-moi, tu me réchaufferas.

Nous sommes allés chez moi. Le paquet de cigarettes que j'avais acheté pour elle était posé à côté des trois fermiers.

IX

Trois femmes en soutiens-gorge rouges brodés de fils argentés entrèrent sur scène. Elles étaient à moitié nues. Leurs longues jupes plissées, fendues parfois jusqu'à la taille, s'ouvraient à chaque mouvement, on voyait leurs jambes jusqu'au pubis. Elles faisaient rouler leurs hanches au rythme nerveux des darboukas sur lequel se glissaient les solos imprévisibles du clarinettiste, et on aurait dit que ces hanches, telles des créatures distinctes d'elles-mêmes, se jetaient voluptueusement de chaque côté au moindre pas. Les lamelles argentées de leurs soutiens-gorge et de leurs jupes scintillaient sous les spots. Soudain, elles enfournèrent les mains sous leurs jupes et en sortirent trois drapeaux qu'elles se mirent à agiter en continuant leur danse lascive. Un tonnerre d'applaudissements résonna dans la salle. L'image de ces danseuses court-vêtues brandissant le drapeau national était si étrange qu'on avait du mal à oser croire qu'elle était bien réelle. Seins, fesses, ventres, drapeaux, tout se déhanchait en même temps.

À la pause, je m'approchai de la blonde avec qui j'avais déjà discuté pour lui demander ce que les drapeaux venaient faire là. Un homme assis à côté

d'elle, ses longs cheveux blancs soigneusement gomi-
nés et peignés en arrière, me répondit :

— Le drapeau est sacré.

— Je ne dis pas le contraire, mais d'où sortent ces
drapeaux, quel rapport avec la danse ?

— Quand le drapeau paraît, on ne demande pas
d'où il sort, me répondit l'homme sur un ton grandi-
loquent, comme s'il citait un texte sacré.

Étant donné l'exécrable pédantisme du spécimen,
j'eus envie de répliquer : "De leur chatte, voilà d'où
sort le drapeau", mais un coup d'œil sur le visage
de la blonde à côté m'en dissuada. Livide, inexpres-
sive, elle semblait m'implorer des yeux de ne pas
dire un mot de plus. J'eus soudain peur, non pas
de l'homme, mais de voir que la peur était arrivée
jusqu'au quatrième sous-sol, qu'elle avait réussi à
envahir jusqu'à une salle où des femmes à moitié
nues se dandinaient pour gagner leur vie. J'étais
pétrifié. Où que j'aille, la peur désormais surgissait
n'importe où. De toute ma vie, je n'avais encore
jamais rencontré quelque chose qui méritât de me
faire peur. Je ne savais ni avoir peur, ni être courageux, je n'en avais simplement pas l'usage. Mais,
plus que la peur, ce qui me troublait, c'était le sentiment d'humiliation qu'elle faisait naître, et bien
qu'ignorant de qui et de quoi j'avais peur, je me
sentais profondément humilié.

Quand nous arrivâmes chez elle ce soir-là, je demandai à madame Hayat :

— Pourquoi les danseuses ont-elles sorti ces drapeaux ? Je n'avais jamais vu ça.

— La rumeur court que les types aux bâtons vont
faire une descente dans le studio, c'est sans doute
pour cette raison qu'ils ont fait ce cirque.

— Ils vont vraiment faire une descente ?

— Je ne sais pas… Normalement l'endroit est sous la protection de Remzi, mais pas sûr que ça suffise à arrêter ces types-là.

J'avais deviné qui était ce Remzi, je le savais même très bien, mais le naturel avec lequel elle avait dit "Remzi" réveilla ma curiosité autant que ma colère. C'était plus fort que moi. En une seconde, mon esprit fit une sortie de route, j'oubliai les femmes et les drapeaux pour plonger dans un ravin plein de pensées empoisonnées. Cette dégringolade mentale me flanqua un tel vertige que je sentis mes muscles se contracter et commencer à trembler, comme un épileptique en pleine crise. J'avais perdu le contrôle de mes gestes et de mes mots.

— C'est qui ce Remzi ?

— Tu l'as déjà croisé, dans le couloir.

— C'est ton ami ?

— Oui.

— Un ami proche ?

J'avais conscience d'être en train de dépasser les bornes, et elle me toisait d'un air provocateur.

— Oui.

— Je n'arrive même pas à vous imaginer ensemble.

— Mais personne ne te demande d'imaginer.

La jalousie ruait hors du buisson où elle était tapie en embuscade, elle galopait comme un cheval fou, moi accroché aux étriers, traîné au sol telle une vulgaire poupée de chiffons. L'image est certes un peu pathétique, mais c'était ainsi : ma jalousie était hors de contrôle.

— Une femme comme toi ne peut pas être avec un type comme ça…

— Et avec quel genre de type doit être une femme comme moi ? Avec un type de ton genre ? Demande un peu aux gens s'ils trouvent ça normal qu'une femme comme moi soit avec un type comme toi.

Elle me prit la main.

— Il n'y a pas de règles…

Je n'avais pas envisagé l'effet que pouvait me faire une petite phrase comme celle-là, si banale, si simple, à quel point elle pouvait me faire mal. J'étais fou de douleur et pourtant la curiosité continuait de me dévorer, inexplicablement, davantage même, augmentant d'autant ma douleur, me poussant toujours plus loin hors des limites que je n'aurais pas dû franchir.

— Il y en a eu d'autres comme lui ?

Elle répondit posément :

— En voilà une drôle de question.

— Excuse-moi.

Je devais lui faire pitié.

— Le passé de quelqu'un est une chose dangereuse. Tu ne peux rien y changer, et si tu essaies, tu deviens son ennemi mortel, tu veux tuer ce passé. Mais pour pouvoir tuer le passé de quelqu'un, c'est la personne elle-même qu'il faut tuer. Et tu finiras par la tuer, juste pour anéantir son passé.

Elle eut un sourire entre la compassion et la moquerie.

— Tu veux me tuer ?

— De temps en temps…

Elle s'approcha doucement de moi.

— Alors tue-moi de temps en temps…

Je regardai son cou blanc, charnu, je vis mes mains étrangler ce cou. Un frisson de désir m'envahit. Jamais je n'aurais pu imaginer que la pensée de tuer quelqu'un pût procurer une telle excitation sexuelle. Nouvelle sortie de route dans mon esprit, d'un autre genre, cette fois il s'agissait de grimper les sentiers d'une volupté effroyable, vers des crêtes de plaisir dont l'existence m'était restée jusque-là inconnue. Et à présent, je sais qu'elle, madame Hayat, était une pierre de ce sentier, et que parmi la foule des sentiments dépourvus de nom que j'éprouvais en face d'elle, c'était la colère, une colère violente, ainsi qu'elle apparaissait dans sa métamorphose en désir sexuel, qui prenait toute la place.

Du reste, mon expérience avec elle m'avait appris qu'il suffisait que je la touche pour que la moindre de mes émotions se changeât en désir. Tel était le miracle qui advenait quand on entrait dans l'orbe de la déesse. Tout se transformait sans efforts en un vertigineux tourbillon de volupté. Quelle que soit l'émotion de départ, la sortie de route me ramenait toujours au même endroit.

Elle me scrutait attentivement. Elle paraissait lire la moindre de mes bribes d'intention.

— Tu veux qu'on rentre ?

— Oui.

— Tu me tueras ?

— Oui.

Je l'ai tuée. Ce soir-là et tant d'autres après lui, je l'ai tuée, je l'ai tuée cent fois. En mourant elle plongeait ses yeux au fond des miens, la pupille grandissante, dilatée comme un gouffre qui m'aspirait dans ses profondeurs. Je n'étais plus le même homme. J'étais devenu quelqu'un d'autre. Un inconnu, un étranger. J'avais découvert un monde de plaisirs secrets dont je ne soupçonnais même pas l'existence, j'y étais parvenu en remontant les vallées les plus obscures et désolées de l'âme humaine, risquant à chaque pas de me perdre, de rester coincé au fond de la vallée, poursuivant ma vie sous les traits d'un autre. Une part sombre de moi voulait rester là, continuer d'y défouler sa passion rageuse et ses désirs de destruction. Il m'arrive de le sentir encore, ce désir, il est là, tapi dans un coin de mon cœur, tel un arbre desséché attendant la pluie qui le ressuscitera.

Je sortis du lit, elle me regardait, couchée, les mains derrière la tête, un sourire de satisfactions aux lèvres, comme un sorcier regarde le moribond qu'il a guéri se lever de sa paillasse.

— *Et toi qui, pour me conduire au Paradis, / Égaras ma trace au milieu de l'Enfer*, récitai-je.

Elle éclata de rire.

— C'était quoi ça ?

— Les vers d'un célèbre poète italien.

— Récite-les moi encore une fois.

— *Et toi qui, pour me conduire au Paradis, / Égaras ma trace au milieu de l'Enfer…*

— Et c'est censé m'offenser ou me réjouir ?

— Tu choisis.

Elle se leva et se regarda dans le miroir.

— Toi tu as égaré tes marques sur mon cou, je vais devoir porter un foulard… Allez, c'est l'heure du café.

À mon retour à l'auberge, je trouvai le Poète attablé dans la cuisine avec quelqu'un que je n'avais jamais vu.

— Ah, on t'attendait, dit le Poète en me voyant.

Je fis chauffer du thé et les rejoignis autour de la table.

— Je te présente Mümtaz, il travaille avec moi à la revue. Demain je pars dans ma province, je serai absent quelque temps. Mümtaz t'apportera les articles à relire… Tu es toujours d'accord ?

— Oui.

— Parfait… Tu relis et corriges les articles, puis Mümtaz viendra les récupérer.

— Compris.

— Ne laisse pas traîner ces textes. Notre revue est autorisée, il n'y a rien d'illégal, mais on a quand même intérêt à ce qu'elle ne tombe pas entre les mauvaises mains.

— Compris.

Le Poète me sourit comme un père fier de son fils.

— Fais attention à toi, dit-il en me tapant sur l'épaule, on se voit à mon retour.

Et il sortit. Personne d'entre nous ne pouvait encore savoir quelle affreuse tragédie se tramait dans le silence de cette douce nuit-là.

Je fus réveillé par des éclats de voix, des hurlements. Le jour se levait à peine. J'ouvris la porte de ma chambre. Le couloir grouillait de flics. Six policiers frappaient contre la porte du Poète en criant :

— Police, ouvre !

Tous les locataires de l'étage étaient sortis sur le pas de leur porte. Seule celle du Poète restait close.

— Ouvre sinon on enfonce la porte !

Aucune réponse.

Je fermai ma porte et courus sur le balcon. La chambre du Poète était à trois chambres de la mienne, de mon balcon j'avais une bonne vue sur le sien.

Je jetai d'abord un œil en bas. La rue était pleine de voitures de police, gyrophares allumés. Les sinistres éclairs bleu et rouge griffaient les murs dans un tourbillon de plus en plus dense et effréné. Puis je tournai le regard vers le balcon du Poète. Il était là. Il portait une chemise très légère. Les policiers qui étaient dans la rue l'avaient vu eux aussi.

— Il est sur le balcon, disaient-ils dans leurs talkies-walkies à l'adresse de leurs collègues à l'intérieur.

J'entendais la porte craquer sous leurs coups.

Le Poète se tenait sur le balcon avec une sérénité qui me glaçait, comme s'il était sorti contempler le lever du soleil par un beau matin d'été. Je ne pouvais le quitter des yeux. J'avais peur que les flics soient furieux qu'il ne leur ait pas ouvert et qu'ils se vengent en le tabassant.

— Ouvre la porte, voulais-je lui crier, mais mes mots s'étouffèrent dans ma gorge.

Son regard croisa le mien, il m'avait vu mais ne me voyait pas. Il pensait.

Quand un jour je lui avais demandé quel était son plus grand rêve, il m'avait répondu : "Monter à la tribune devant des millions d'hommes et de femmes réunis sur une grande place, et leur dire la vérité, et voir leurs visages illuminés par la vérité." Il semblait prêt à le prononcer, ce grand discours dont il rêvait, tout seul sur le balcon. Un instant j'y ai vraiment cru, j'ai cru qu'il allait parler, j'ai attendu qu'il parle.

La porte craquait, elle était proche de céder.

Une main appuyée contre le mur, il passa doucement de l'autre côté du garde-corps. Les policiers dans la rue le fixaient sans plus dire un mot. Il prit une longue respiration, regarda vers le ciel, puis vers moi. Son visage était nu, vide, pur comme un miroir, je voyais les nuages s'y refléter.

J'ai tendu la main, il était trop loin.

Puis, poussant d'un geste vif contre le mur derrière lui, il se jeta dans le vide.

Il atterrit devant les voitures de police. J'entendis le bruit de son corps qui heurtait la chaussée. Il eut un dernier spasme. Il était étendu, les bras en croix, un genou remonté contre le flanc. Du sang coulait de sa tempe.

Je voulais m'enfuir du balcon, rentrer dans ma chambre, mais je restai là, je le regardais, comme si, en cet instant, la plus grande preuve d'amitié que je pouvais lui offrir était de regarder sa mort en face, de ne pas le lâcher des yeux. C'était une manière de défi lancé aux responsables de sa mort, je crois.

Aussi, je sentais un remords énorme, comme si, pouvant le retenir, j'avais ouvert les mains et l'avais lâché. Peut-être que j'aurais pu encore l'arrêter si j'avais crié, mais ma voix s'était nouée. Je l'avais vu glisser dans le vide.

Les flics avaient cassé la porte, ils arrivèrent sur le balcon. Ils regardèrent en bas. Moi je les regardais eux. Un flic me vit :

— Qu'est-ce que tu regardes toi, rentre à l'intérieur !

Mais j'ai continué à les toiser.

— Il faut choper celui-là aussi ! a dit le flic à ses collègues.

— Laisse tomber, a répondu l'autre, on a déjà un paquet de rapports à écrire.

Ils partirent.

Je restai sur le balcon. Tremblant de froid, de tristesse, de peur.

"S'il était parti un jour plus tôt ils ne l'auraient pas eu, pensai-je, la veille au soir même, il aurait pu s'en tirer." Pourquoi n'était-il pas parti plus tôt ? Soudain je compris la vérité : peu importait quand, ça n'aurait rien changé. Ils savaient tout, ils connaissaient l'heure de son départ. S'il était parti la veille, ils seraient venus la veille, s'il était parti le lendemain, ils l'auraient eu le lendemain. Ils avaient voulu le laisser rêver encore un peu, lui éreinter les nerfs, peut-être jouer avec lui, se foutre de sa gueule.

Le ciel était couvert. Quelques rayons de soleil filtraient à travers les nuages. Le jour s'était levé. La rue était vide à présent, une tache de sang sombre marquait l'endroit de sa chute.

Je descendis dans la cuisine.

Tout le monde était là. L'incrédulité, la stupeur et l'effroi qu'on ressent toujours face à une mort brutale se lisaient sur les visages. Gülsüm pleurait en silence. Chacun racontait la même histoire, disait aux autres ce qu'il avait vu.

— Pourquoi il a fait ça ? disait le commis que le Poète appelait un "type confus", selon moi c'était une connerie.

Personne ne lui répondit. "Il n'aurait pas supporté d'être enfermé", allais-je dire, mais je me tus.

— Quelqu'un a un téléphone ? demandai-je.

Bodyguard me tendit le sien. Il était très tôt. J'écrivis un message à Sıla, "tu es réveillée ?" Trois minutes plus tard, elle répondit : "Vous êtes qui ? – C'est moi, Fazıl."

Elle m'appela dans la seconde. Elle parlait à voix basse pour ne pas réveiller ses parents, mais on sentait qu'elle tremblait d'inquiétude.

— Tout va bien ? Qu'est-ce qu'il se passe ?

— Je vais bien, ne t'inquiète pas… On peut se voir avant les cours ?

— Passe me prendre dans une heure… Tu es sûr que ça va ?

— Oui.

J'avais besoin de parler avec quelqu'un qui détestait la mort, que cette mort affreuse choquerait, qu'elle terrifierait, non pas pour être consolé, mais pour partager ma terreur et ma haine. Une heure plus tard, j'étais devant chez elle.

— Qu'est-ce qu'il se passe ? me dit-elle en montant dans la voiture.

Je lui racontai tout.

— Mon Dieu, oh mon Dieu, disait-elle en pleurant doucement.

— J'aurais peut-être pu l'arrêter si j'avais crié, mais ma voix s'est bloquée.

— Ça n'aurait sans doute rien changé, d'après ce que tu me dis, s'il est sorti sur le balcon c'est qu'il avait déjà pris sa décision.

— Peut-être, mais moi, toute ma vie je vais penser que j'aurais pu le sauver.

— Ce serait être injuste avec toi-même, tu sais bien que la réalité était différente.

Je lui avais acheté un sandwich dans une boulangerie, je n'avais pas d'appétit, elle dut me forcer à en manger la moitié.

— Fazıl, on ne peut plus vivre dans ce pays. C'est de pire en pire chaque jour. Ils ne donneront sûrement pas de passeport à mes parents, mais moi j'ai des chances de pouvoir récupérer le mien. Tu as un passeport ?

— Oui.

— Tu as des visas ?

Je souris amèrement.

— Oui, quand mon père était riche il m'avait offert tous les visas possibles et imaginables.

— Je vais écrire à Hakan, je poserai ma candidature dans son université. Fais-le toi aussi. Tu as de bonnes notes, ils te prendront. On ira là-bas ensemble, on fera nos études et on travaillera en même temps.

— Je ne sais pas, il faut que je réfléchisse.

— Réfléchis, mais réfléchis bien… Il n'y a pas d'avenir ici.

— Tu sais, je n'arrive pas à m'enlever de la tête l'image de lui en train de basculer dans le vide sous mes yeux. C'est comme si je le tenais, je le retenais et à un moment je l'ai lâché.

— Tu ne le tenais pas, personne ne pouvait le retenir.

Elle s'affola soudain :

— Mais s'ils s'en prennent à toi aussi, tu étais son ami, ils ne vont rien te faire, hein ?

— Non, pas jusque-là.

— Ils sont capables de tout.

Je ne lui dis pas que j'avais accepté le travail que le Poète m'avait confié, elle se serait encore plus affolée.

— Je ne suis pas obligée d'aller en cours, tu sais, je peux rester avec toi si tu veux.

— Non, va en cours… On se verra demain.

Je la déposai à l'université. Plus que ses paroles, sa voix surtout m'avait fait du bien, je me sentais un peu apaisé. Mais après qu'elle m'eut quitté, la terreur de la mort me saisit à nouveau.

Dès l'instant où j'avais vu le Poète se jeter du balcon, je faisais partie de sa mort. J'avais glissé avec lui sur la ligne où s'achève la vie et commence la mort, le Poète l'avait franchie, elle m'avait retenue, maintenant j'en étais prisonnier, incapable d'avancer vers la mort comme de revenir à la vie. Quelque chose en moi ne cessait de chuter dans le vide, pour subitement s'arrêter, une seconde avant l'écrasement, et remonter vers son point de départ.

Je vivais une mort en suspens. Après chaque chute, quand je retrouvais de l'altitude, cette mort suspendue se heurtait violemment à la vie et, détruisant chaque fois quelque chose d'autre en moi, me réformait peu à peu. La mort faisait son trou dans les profondeurs de mon être, comme l'affreux résultat d'une sorte de jeu de yoyo, imprimant sa marque sur chaque chose, chaque image. Je ne cessais de plonger vers elle.

Quand je la sentais toute proche, le temps ralentissait, et les émotions et les idées qu'étant vivant j'éprouvais miennes, authentiques, indubitables, dans ce temps ralenti, perdaient toute vitesse et tout poids. Seuls mon chagrin et la culpabilité de ne pas avoir pu sauver le Poète ne variaient pas, demeuraient intangibles.

Ce soir-là, je rencontrai Emir et Tevhide devant la porte de l'immeuble.

— Passe chez nous, me dit Emir, je vais coucher la petite, ensuite on bavardera un peu.

J'étais d'accord. Lui aussi avait besoin de parler. Tevhide me donnait la main en montant les escaliers.

— Le Poète est mort, dit-elle.

Je jetai un coup d'œil interrogateur à Emir, il m'encouragea :

— C'est moi qui lui ai dit.

— Oui, il est mort.

— Ma mère aussi est morte, dit la petite.

Puis elle posa la question qui visiblement lui trottait dans la tête depuis longtemps :

— Nous aussi on va mourir ?

— Un jour.

— Quel jour ?

— Je ne sais pas.

— Pourquoi tout le monde meurt ?

— Je ne sais pas.

— Ma grand-mère dit que les morts vont au ciel.

Elle semblait attendre une confirmation de ma part ; je ne dis rien.

Leur chambre était au fond de l'immeuble, elle n'avait pas de balcon mais elle était plus grande, avec deux lits, une table basse semblable à la mienne, un vieux fauteuil en cuir, une lampe de bureau qui diffusait une douce lumière tamisée. Des livres étaient posés sur la table.

Quand sa fille fut au lit, Emir commença à lui lire *Alice aux pays des merveilles*. Il lisait en anglais. Et de temps en temps, Tevhide lui posait une question en anglais. Je les observais depuis le fauteuil. Ils semblaient avoir rejoint Alice dans son pays merveilleux.

Tevhide s'endormit bientôt. Emir me proposa de boire un cognac.

— Tu as du cognac ?

Il avait une bouteille, ça lui arrivait d'en boire, dit-il.

Il versa deux doigts de cognac dans des verres à eau.

— Excuse-moi pour les verres, s'empressa-t-il d'ajouter.

Il avait véritablement honte de m'offrir un cognac dans ce verre-là. Je ne pus m'empêcher de sourire.

— Sa mère était anglaise, fit-il en désignant la petite qui dormait.

Silence.

Il n'en dit pas davantage et je ne lui posai pas de question. Il n'aimait pas parler du passé, je l'avais déjà noté. Pour autant que je puisse en deviner d'après les quelques indices personnels qu'il lâchait parfois au cours d'une discussion, il descendait en ligne indirecte d'une très vieille et très riche famille de l'Empire ottoman, vraisemblablement ruinée à la suite d'une mésaventure comparable à celle qu'avait connue le père de Sıla. Ses parents vivaient à l'étranger.

— Pourquoi la police le recherchait ? demanda-t-il.

— Il publiait une revue.

— Tout ça est arrivé parce qu'il publiait une revue ?

À présent je le regardai comme Sıla m'avait regardé, avec un mélange de compassion et d'agacement.

— Même pas besoin de revue, ils sont capables de nous arrêter demain juste parce qu'on connaissait le Poète.

Le trouble se lisait dans ses yeux.

— Tu es sérieux ?

— Très sérieux, même.

— Mais c'est complètement absurde.

— Absurde mais vrai…

Son visage s'assombrit.

— S'il m'arrive quelque chose, il n'y aurait plus personne pour veiller sur Tevhide, dit-il dans un souffle, comme s'il murmurait pour lui-même.

Je me souvins des discussions avec le Poète, et dans ma voix j'entendis sa voix, le même ton de sagesse et de raillerie :

— Tu as perdu tout ce que tu avais, tu habites avec ta fille dans une espèce d'auberge d'étudiants, un homme est mort sous nos yeux parce qu'il écrivait dans une revue… et malgré l'absurdité de toute cette vie qui est la nôtre, la tienne, tu continues à t'étonner ?

— Non, je ne sais pas… Je crois qu'en fait je refuse de m'habituer à cette absurdité… J'ai l'impression que si j'accepte la réalité de tout ça, je n'arriverai plus jamais à m'en sortir…

— Refuser ne t'aidera pas plus à en sortir.

— C'est bien ça qui est terrifiant.

Après avoir fini notre verre de cognac, sur le pas de la porte il me posa une dernière question :

— Tu penses qu'il faut que je déménage d'ici ?

— Je n'en sais rien.

X

Tout changeait, certes, mais après la mort du Poète le rythme s'accéléra. J'avais la sensation d'être entraîné dans le courant de plus en plus rapide d'un torrent qui s'approche d'une cascade. Six mois plus tôt seulement, je menais une autre vie, j'étais un autre homme.

Je faisais ma mue, tels ces serpents du désert dans les documentaires que je regardais avec madame Hayat, je m'extirpais hors de mon être. J'étais toujours moi, mais dans une nouvelle peau, en proie à de nouveaux sentiments, plus complexes et chaotiques que les anciens. Ceux-ci étaient toujours là, part morte au fond de moi, présents mais morts. En dehors de ce qu'il me restait du passé, je n'avais plus aucun rapport avec moi-même. Je songeais à la confiance que j'éprouvais autrefois, aux émotions qu'alors elle nourrissait, émotions clairsemées, discrètes, inoffensives, comme de petites fleurs des champs, et à présent desséchées, piétinées, égarées au milieu d'émotions neuves qui, elles, me laçéraient l'âme et y laissaient de profonds sillons, et c'était avec étonnement, avec admiration même, à vrai dire avec incrédulité, que je me souvenais de mes sentiments passés, "étais-je vraiment cet homme-là ?", pensais-je, et n'en revenais pas.

J'avais découvert la colère, la peur, le désir de revanche, la jalousie, la volupté, la tromperie, le regret. Je couchais avec une femme plus âgée que moi dont j'essayais de tuer le passé, je songeais à commencer une nouvelle vie, dans un autre pays, avec une femme de mon âge, je lisais et révisais des textes d'un genre pour moi inédit, les mains moites et tremblantes, j'avais eu un ami qui s'était jeté dans le vide, un matin à l'aube, dans sa plus belle chemise, j'avais vu des femmes guetter silencieusement, mortes de chagrin, une petite porte de l'autre côté de la rue, et, pour une raison inexplicable, je voulais venir en aide à des inconnus que je n'avais jamais vus. Tous ces souvenirs et sentiments contrastés avaient laissé sur moi des marques profondes, mais jusqu'où s'enfonçaient-elles, dans quelle direction, et où étais-je seulement, je n'en avais pas la moindre idée. Je comprendrais la route à l'arrivée.

Quant à madame Hayat et Sıla, mes sentiments pour l'une et l'autre étaient en s'approfondissant de plus en plus enveloppés de mystère : elles me manquaient, j'étais jaloux, je désirais, oui, mais je restais incapable de donner un nom d'ensemble à la somme de ces émotions contraires. Leur densité croissante augmentait mon indécision. Je n'éprouvais rien d'aussi fort avant, mais j'avais une direction, je poursuivais un but ; à présent je ressentais tout avec violence, seulement je ne visais plus rien.

Mümtaz m'apporta les textes. Ils parlaient de milliers de personnes enfermées en prison, de pauvres gens au chômage, de pressions politiques, de souffrance, d'oppression. C'était comme si j'avais ouvert le couvercle et que la vie réelle sortait de sa boîte, un autre monde, une autre vie. Elle ressemblait à cette chose qu'on appelle l'"enfer". Des gens s'immolaient en pleine rue pour protester contre la famine, des pères de famille ruinés se suicidaient avec femmes et enfants en ingérant du cyanure, chaque jour, n'importe où, des milliers de femmes émancipées étaient assassinées par des hommes aux mœurs primitives, des enfants affamés mendiaient dans les rues, les jeunes fuyaient le pays, des maisons étaient perquisitionnées à l'aube, la police arrêtait les opposants, les usines fermaient, les ouvriers étaient jetés à la rue sans même récupérer un centime au passage, et tout cela était recouvert par la chape de plomb d'un terrifiant silence. On n'en parlait ni dans les journaux, ni à la télé, ni à la radio. On pouvait s'immoler en pleine rue, mais on n'avait pas le droit de parler de ceux qui s'immolaient. Je voyais désormais la réalité telle que le Poète la voyait. Et je n'en parlais à personne, je ne racontais rien, je gardais ça pour moi, en moi, comme un double à l'identité secrète.

Le choc de sa mort s'atténua peu à peu, ma vie reprit son cours normal. Je commençais à identifier dans le désordre une forme de système. Je voyais madame Hayat et Sıla, j'allais en cours, au studio télé, je réécrivais les articles pour la revue.

Un soir d'émission, j'étais sorti dans le couloir pour la pause. Depuis le pas de la porte je voyais madame Hayat qui riait avec Hay sur la scène. Les gens buvaient du thé, ils bavardaient entre eux. Soudain on entendit une clameur. Des cris, des chocs, de plus en plus proches.

Telle une coulée de boue dévalant la montagne, un groupe d'hommes descendait les escaliers à grande allure, en cassant tout sur son passage. Certains avaient des bâtons. Ils crachaient des injures, ils beuglaient avec une fureur que rien ne semblait pouvoir jamais apaiser. Les femmes quittèrent le buffet en hurlant, elles s'enfuirent à toutes jambes vers les coulisses. L'homme bien peigné, celui qui avait dit "quand le drapeau paraît, on ne demande pas d'où il sort", s'était posté en bas des escaliers en comité d'accueil, les bras grand ouverts, le sourire triomphal. Il reçut un énorme coup de bâton sur le crâne, son sourire se figea, il tomba en arrière au milieu des chaises en plastique, le visage en sang.

Ils cassaient tout, ils rouaient de coups les hommes et les femmes qu'ils attrapaient, ils les traînaient à terre en les tirant par les cheveux. Ceux qui tombaient poussaient des cris de douleur affreux, ils suppliaient qu'on les épargne. Je voyais les bâtons se lever et s'abaisser, j'entendais des bruits de craquements d'os. Une petite mare de sang se formait par terre.

Dans ma stupéfaction, un coup de poing m'atteignit à la tempe, je chancelai légèrement en arrière, puis, rassemblant toute la rage accumulée, j'envoyai un coup de poing au visage de mon agresseur. C'était la première fois que je frappais quelqu'un aussi violemment. L'homme s'effondra à mes pieds. D'autres m'entourèrent aussitôt. Les coups pleuvaient, ils frappaient sans pitié. Je frappais en retour, insensible à la douleur, comme si tout en moi était anesthésié, sauf la colère. Un effroyable torrent de haine et de colère.

Quelqu'un me tira vers l'intérieur et ferma la porte du studio derrière nous. C'était madame Hayat. Elle avait accouru dès qu'elle les avait vus m'attaquer. Elle s'appuya avec le dos contre la porte et ferma le verrou. Elle me retenait des deux mains. Moi j'étais comme fou, inconscient du danger, je voulais ressortir les affronter. La peur, encore insupportable une minute plus tôt, avait complètement disparu. Madame Hayat m'attrapa par les cheveux, rapprocha son visage du mien et commença à m'embrasser, au milieu du vacarme qui continuait de l'autre côté, elle m'embrassait, nous nous embrassions, plaqués contre la porte.

J'ignore combien de temps ça dura. Le bruit finit par s'interrompre. Les types avaient tout détruit, buffet, chaises, vitres, ils avaient tabassé tous ceux qui leur tombaient sous la main, puis ils étaient repartis.

Le tournage ne reprendrait pas. Tout le monde s'était enfui terrorisé. L'homme aux cheveux bien peignés fut transporté à l'hôpital. Ma pommette était gonflée, j'avais un énorme œil au beurre noir. Madame Hayat m'emmena dîner dans notre restaurant habituel. Nous avalâmes les deux premiers verres d'un trait, sans parler.

— Pourquoi tu m'as embrassé contre la porte ?

— C'est le seul moyen que j'ai trouvé pour te retenir.

À ce moment, je sus que jamais je ne retrouverais quelqu'un comme elle. Et qu'une vie sans elle serait un désert…

— Toi… dis-je, sans réussir à finir ma phrase.

Elle me regardait.

— Oublie, buvons un autre verre.

La haine et la barbarie avaient envahi nos vies. Nous essayions de les refouler tant bien que mal. Elle me raconta le dernier documentaire qu'elle avait vu. C'était sur les insectes aquatiques ; certains attrapaient des poissons, d'autres mangeaient des grenouilles trois fois plus grosses qu'eux. Quant aux libellules, pendant l'accouplement leurs pattes et leurs ventres dessinaient la forme d'un cœur, faisant l'amour elles se transformaient en symbole de l'amour.

Bien plus tard, quand tout devint beaucoup plus compliqué, sous une tempête de neige qui s'était déclenchée à l'improviste en plein milieu d'une nuit de début de printemps, et tandis qu'elle insistait pour que je parte avec Sıla, "va avec elle, partez tous les deux", madame Hayat eut cette phrase : "Les jours où l'on pouvait encore s'en sortir en s'embrassant contre une porte sont derrière nous…" On avait alors entendu, au milieu du silence scintillant des flocons qui recouvraient la ville, le cri d'un vendeur de *boza*, comme une réminiscence d'un siècle passé. "Le marchand de *boza*", s'écria madame Hayat toute joyeuse, et sans même penser à couvrir ses épaules nues, elle courut à la fenêtre l'appeler. Nous étions en train de boire la chaude boisson à la cannelle, goûtant son nostalgique parfum d'hiver, quand je l'avais relancée à propos de Sıla : "Pourquoi tu veux que je parte avec elle ? Tu as oublié les libellules ?"

Elle soupira : "Ah, mon Marc Antoine, les libellules ne vivent pas longtemps, tu sais…" Puis, comme à son habitude, elle changea de sujet : "Tu veux que je rajoute un peu de cannelle ?"

Le lendemain du soir de l'attaque, un événement se produisit qui devait changer nos vies : Sıla avait obtenu son passeport. Depuis la mort du Poète, elle avait passé ses journées à courir après au bureau des visas, au tribunal, chez un avocat ami de la famille. Un vieux policier avait fini par l'aider, il avait retrouvé son dossier, déclaré qu'il n'y avait rien dans son passeport qui justifie qu'on le confisque, et il le lui avait rendu, en y adjoignant un rapport qui attestait officiellement de sa restitution.

Elle m'emmena boire une bière et manger des beignets de moules pour fêter ça. Elle rayonnait.

— Viens, on va dire bonjour aux fermiers, s'exclama-t-elle toute joyeuse.

Nous allions de plus en plus souvent "rendre visite aux fermiers", ces derniers temps. Les rôles aussi avaient changé. C'était désormais moi le plus dur des deux. La violence décuplait mon plaisir. J'étais possédé par une sorte d'amour de la violence, une passion que je n'aurais sans doute jamais découverte si les événements avaient pris une autre tournure. Je la plaquais sur le lit en lui étranglant les poignets, et elle criait "c'est moi la femme, c'est moi la femme", notre dialogue infantile du premier jour s'étant transformé en un jeu qui nous excitait tous les deux.

— Yakup est venu à l'université hier soir, me raconta-t-elle ensuite en fumant une cigarette. Je passais là par hasard, il disait. Il a tellement insisté pour me conduire que j'ai fini par avoir honte de lui refuser. On a refait le chemin jusqu'à l'endroit où il croit que j'habite, il m'a déposée, j'ai attendu qu'il parte, puis je suis rentrée chez moi.

— Les flics savent où tu habites maintenant, tu n'es plus obligée de lui mentir…

— Peut-être… Mais s'il apprend que je lui ai menti et nous dénonce, ils viendront à coup sûr. C'est mieux qu'il ne sache rien.

Elle aspira une longue bouffée ; elle fumait lentement, en savourant le goût, comme un vieux briscard.

— Il a une nouvelle voiture, un truc de luxe… Et même un chauffeur.

Elle en riait.

— Tu devineras jamais comment s'appelle son chauffeur ?

J'essayai de me souvenir du prénom de son père :

— Muammer ?

— Tu sous-estimes beaucoup maître Yakup…

— Il s'appelle comment alors ?

— Yakup.

— Son chauffeur s'appelle Yakup ?

— Oui.

— Tu affabules, là.

Elle fronça les sourcils.

— Tu m'as déjà vu affabuler quoi que ce soit ?

— Son chauffeur s'appelle vraiment Yakup ?

— Yakup, oui, je te l'ai dit… Tourne à droite Yakup, comme il vous plaira monsieur Yakup… On dirait un film comique…

— Et qu'est-ce qu'il raconte à part ça ?

— Les affaires sont florissantes. Son grand frère est devenu le maire de l'arrondissement, toutes les municipalités voisines leur donnent les contrats. Il s'est vanté devant moi d'avoir reconstruit cinq fois la même route, ma petite Sıla, maintenant il m'appelle toujours ma petite Sıla, c'est très important d'avoir le sens du commerce, il a dit. Si tu as le sens du commerce, ma petite Sıla, tu peux te faire autant d'argent que tu veux. Ce genre de choses. La situation du pays n'a jamais été excellente, il a dit ça aussi.

Puis elle écrasa sa cigarette et redevint sérieuse.

— Fazıl, commença-t-elle, et je savais que quand elle me disait "Fazıl" l'heure était grave. Maintenant j'ai mon passeport, on peut quitter le pays… Ici, les Yakup vont nous pourrir la vie.

Je ne répondis pas, elle continua :

— On pourrait obtenir une bourse de l'université où travaille Hakan. Il y a des appartements pour les couples dans la résidence étudiante. On pourra étudier et travailler en même temps. Peut-être que tu trouveras un poste d'assistant, tu pourras enseigner là-bas. On emportera tes fermiers et tes dieux avec nous.

— Je ne sais pas… Et ma mère ?

— Elle nous rejoindra plus tard si elle veut. De toute façon, même ici tu ne la vois jamais. Tu pourras lui téléphoner.

Je me taisais, je réfléchissais. Elle se redressa et me regarda dans les yeux :

— Partir ensemble ne veut pas dire qu'on devra forcément vivre ensemble, tu sais. On peut prendre deux appartements séparés si tu préfères. Ne te sens obligé à rien.

— Mais pourquoi tu dis des trucs pareils ?

— Je ne sais pas, tu n'as pas l'air très motivé, je me disais que c'est peut-être à cause de ça.

Je lui attrapai les poignets et la plaquai sur le lit.

— Alors c'est moi qui déconne, hein.

— Fazıl…

— C'est moi qui déconne.

— Fazıl…

— C'est moi qui déconne.

— D'accord, je déconnais, pardon…

— Ouais, tu déconnes, vraiment. Comment ça peut te passer par la tête ?

— J'en sais rien… Mais regarde, tu vois la situation, tu vois ce qu'il se passe, et pourtant tu n'as pas envie de bouger.

— Parce que je réfléchis… Je pense à l'argent, je pense à ma mère, je pense à la fac. J'essaie de réfléchir à comment arranger tout ça.

— Moi j'en ai marre, dit-elle d'une voix déterminée, moi je me tire. Toi tu réfléchis. Si tu veux venir, on part ensemble. Mais pour ma part je n'en peux plus de ce pays, je n'en peux plus d'avoir peur en permanence, je n'en peux plus d'angoisser en pensant au lendemain, à la prochaine catastrophe qui va nous arriver. Je suis fatiguée d'avoir peur.

On se quitta fâchés.

— Réfléchis, me dit-elle sur le pas de la porte.

— Je réfléchirai.

À vrai dire, elle avait raison, moi aussi j'étais fatigué, et si je savais qu'un retour à ma vie d'avant, riche et protégée, était impossible, je commençais déjà à sentir la nostalgie d'une vie où la peur ne faisait pas suer mes mains quand je corrigeais un texte. Et la promesse de vivre dans un pays où "aube" n'était pas synonyme de "descente" me séduisait beaucoup, à l'évidence, mais je n'arrivais pas à me décider. Pourtant j'avais conscience que l'heure décisive se rapprochait de jour en jour. Mais je n'y arrivais pas.

"Je ne sais pas prendre de grandes décisions, m'avait confié un jour madame Hayat, seulement des petites. Les petites décisions me rendent heureuse." Je lui avais rétorqué qu'il venait toujours un moment dans la vie où prendre une grande décision s'imposait. "Oui, répondit-elle, et je souhaite que pour nous deux ce moment n'arrive jamais."

Sıla partie, je retrouvai ma chambre. Je sortis sur le balcon. Il n'y avait presque personne dans la rue. L'époque des grandes foules était finie. La rue était un peu plus déserte chaque jour. Les gens se repliaient chez eux. Les restaurants étaient à moitié vides.

Le lendemain, j'étais à l'université. La cafétéria était bondée, madame Nermin, telle une reine rendant visite à ses sujets, était venue y prendre le thé, ce qui lui arrivait parfois. Tous les étudiants se pressaient autour de sa personne. Parler avec elle en dehors des cours était vécu par les étudiants comme une sorte de privilège. Ce n'était pas une belle femme, mais elle avait une certaine élégance coquette et une assurance qui virait parfois à l'arrogance, ce qui la rendait objectivement charmante. Elle était sûre de conquérir tout le monde grâce à son intelligence, et elle conquérait tout le monde par son intelligence. Ses discours étaient si pleins de hauteur, de certitude et de charme qu'on croyait que la littérature, pourvu que ce fût elle qui en parlât, se prolongeait sans fin dans l'existence. Je crois aussi que tous les étudiants masculins fantasmaient sur elle, et que ces fantasmes qu'elle attisait par son irréductible hauteur n'étaient pas pour lui déplaire.

Quand j'entrai, tout le monde riait à un bon mot que je n'avais pas pu entendre. À ce moment précis où les étudiants se tordaient de rire, un garçon déboula en criant :

— Les flics sont là ! Les flics sont là !

Le visage de madame Nermin se froissa, comme si on lui avait mis quelque chose de dégoûtant sous le nez.

— Allons voir ce que c'est, dit-elle en se levant.

Madame Nermin et ses chaussures rouges en tête, tous les étudiants derrière, nous sortîmes dans le jardin de l'université. Il y avait deux cars de la police. Les flics en descendaient un par un. Les étudiants des autres bâtiments vinrent vite grossir nos rangs. Nous étions en ordre de bataille derrière madame Nermin. Elle s'avança vers le flic qui se tenait en avant du groupe avec son talkie-walkie, et lui demanda :

— Que se passe-t-il, monsieur l'agent ?

C'était visiblement la première fois qu'elle adressait la parole à un policier.

— Vous êtes qui ? lui répondit l'officier.

— Je suis professeure de littérature.

Il la regarda de haut en bas, avec un arrêt prolongé sur les talons rouges.

— Professeur, hein ?

— Et donc, que se passe-t-il, monsieur l'agent ?

— On a reçu une plainte. Un groupe d'étudiants a affiché des banderoles, on vient les chercher.

Un immense "boouh !" monta de la foule. Les policiers aussi s'étaient alignés en ordre de bataille. Nous étions comme deux armées face à face. Et comme les troupeaux de bisons qui grattent le sol avant de charger, nous trépignions bruyamment.

— Avez-vous un mandat pour pénétrer dans l'enceinte de l'université ?

Le type secoua la tête, l'air de dire "on s'en cogne".

— Pas besoin d'autorisation, il y a eu une plainte.

— Vous ne pouvez pas entrer…

— Madame le professeur, je vous en prie, n'essayez pas de me faire barrage dans l'exercice de mon devoir… Et ne m'obligez pas à m'occuper de vous aussi…

— Si votre devoir consiste à embarquer des étudiants, le mien est de les protéger… Vous ne pouvez pas entrer.

Policiers et étudiants commençaient à se bousculer mutuellement. Nous étions plus nombreux qu'eux, et la présence de madame Nermin nous donnait du courage. Nous avions aussi compris que leur chef redoutait de voir l'incident se transformer en émeute, en plus d'être déconcerté par l'attitude de madame Nermin, qui à vrai dire lui faisait un peu peur. Il n'était pas sûr d'à qui il avait affaire, et vu l'assurance avec laquelle elle lui tenait tête, il se pouvait qu'elle fût une amie ou une parente de "ceux d'en haut". Il n'imaginait pas qu'une professeure ordinaire pût s'opposer ainsi à lui.

Il tenta sa chance une dernière fois :

— Ils ont déployé des banderoles avec des slogans interdits par la loi. Ne protégez pas des coupables, madame…

— Ce n'est pas à vous de décider de qui est coupable ou non. C'est une université ici. Nous enseignons à nos étudiants la liberté d'expression et le respect de celle-ci.

— Vous m'empêchez de faire mon travail, madame…

— C'est vous qui m'empêchez de faire le mien. Maintenant partez, s'il vous plaît, j'aimerais que les élèves retournent en cours.

Le policier ordonna à ses collègues de remonter dans les bus. Ils démarrèrent et quittèrent le campus sous les sifflets, les huées, les cris et les éclats de rire. Madame Nermin fit demi-tour, escortée par la foule qui s'écartait sur son passage.

— Ave César ! cria un étudiant.

Le cri se répandit comme une vague.

— Ave César ! Ave César ! reprenait le campus en chœur, acclamant son nouvel empereur.

On nota que ni le directeur de l'université ni son équipe n'avaient mis le nez dehors.

— Cessez enfin vos pitreries, dit madame Nermin en entrant dans le bâtiment, un sourire satisfait sur les lèvres.

Elle avait disparu, mais les étudiants voulaient prolonger la fête, ils continuaient de célébrer la grande victoire dans le jardin. Je participais à leur joie, je criais avec eux, oui, mais au fond de moi je savais que madame Nermin paierait chèrement cette victoire, et je m'inquiétais pour elle. Les flics reviendraient.

Les autres n'avaient pas vraiment conscience de la portée de l'incident, pas autant que moi. Je lisais la revue, je savais ce qu'il se passait, je connaissais la suite. Il y avait dans la revue une section appelée "Procès-verbal", où l'on publiait des extraits des actes d'accusation et des procès en cours dans le pays. Un avocat avait été arrêté au motif qu'il avait "essayé d'obtenir gain de cause devant le tribunal". Un homme d'affaires avait été emprisonné pendant neuf mois sans savoir pour quel motif, ni lui ni ses avocats ne le surent jamais, c'était "secret", ils avaient dit. Un écrivain avait été condamné à la prison à perpétuité au motif que ses textes auraient "constitué une menace indirecte".

Les gens assistaient à tout ça sans réagir.

Comme écrivait W. H. Auden dans un poème que nous avions lu en cours d'anglais :

> *Ce bateau élégant et coûteux qui dut voir*
> *Cette chose incroyable, un enfant chu du ciel,*
> *Maintenait son cap et déployait ses voiles.*

Ils avaient vu un enfant tomber du ciel et ils continuaient leur route en hissant paisiblement les voiles.

Moi aussi j'avais vu l'enfant tomber du ciel, seulement je ne pouvais plus prendre le large, ni déployer mes voiles, l'image de l'enfant qui tombe m'en empêchait, elle me hantait, elle était devenue une part de mon existence.

Le poids de ce que j'avais vu, appris, vécu, pesait parfois si lourd que je me sentais épuisé comme un vieillard. Je n'arrivais à concevoir ni les actes des hommes ni le silence de la société, je ne pouvais plus vraiment comprendre les vivants. Cela me déprimait parfois jusqu'à en tomber malade. Alors j'allais à la bibliothèque lire des romans. Là, le monde changeait d'éclairage, les hommes et les événements devenaient d'une pure transparence, je contemplais le monde hors d'atteinte, sans que personne pût me voir, me toucher, tandis que je pouvais, moi, toucher ces hommes qui étaient dans les romans. Je me sentais puissant, serein, je me sentais guérir. La vie, transitoire, et pour cela semblant artificielle, dans les romans apparaissait dense, continue, authentique. À chaque livre je changeais d'époque, de lieu, et plus important encore, d'identité, et, me défaisant d'un insoutenable sentiment de captivité, j'accédais à une liberté à laquelle personne ne pouvait imposer de frontières.

Malheureusement cette sensation ne durait pas, dès que le roman était refermé je retournais à l'artificialité d'un monde sans issue, parmi des hommes que je ne comprenais pas. Et pour moi-même aussi, j'étais l'un d'eux. Je ne savais pas décrire les sentiments qui m'agitaient, je n'arrivais pas à saisir les pensées qui me fuyaient. Car j'avais découvert que les pensées ne viennent pas seules, qu'à côté de chaque pensée il en existe une autre, dissemblable, celle qui appartient au réel. Pensant à quelque chose, je pensais en réalité à quelque chose d'autre, et ça me mettait en rage contre moi-même. Je me trahissais parfois, et ne voulant sans doute pas l'admettre, je préférais ne pas me comprendre, tout comme je ne comprenais pas les autres. C'eût été plus simple, plus rassurant, de les comprendre eux plutôt que moi, cependant, en dehors des livres, je n'y arrivais pas.

Une fois, je ne sais plus comment la discussion en était arrivée là, j'avais dit à madame Hayat :

— Je n'arrive pas à comprendre les gens, mon intelligence ne va pas jusque-là.

Elle avait fait son petit sourire malicieux.

— Aucun atome ne peut en toucher un autre, fut sa réponse.

C'était sa façon délibérée de procéder quand elle voulait se divertir avec mon "ignorance", elle commençait par lancer une phrase invraisemblable. Cela me divertissait autant qu'elle, je savais déjà qu'elle allait me raconter une histoire que je n'avais jamais entendue, pour l'associer ensuite à quelque chose dont je n'avais pas idée.

— Aucune matière ne peut entrer totalement en contact avec une autre, je l'ai appris dans un documentaire l'autre jour. Même entre les plus petites particules, celles dont on imagine qu'elles sont collées les unes aux autres, il reste toujours une distance, je ne me souviens plus combien exactement, mais un truc minuscule, car si deux atomes se touchent, boum, ils explosent…

Quand elle vit l'expression sur mon visage, elle comprit à quoi je pensais et elle rit :

— Même à ce moment-là on ne se touche pas entièrement, il reste toujours une distance entre nous, oui, même quand tu me baises. Moi aussi je me demandais pourquoi le monde n'explose pas quand on baise, mais puisqu'on n'est pas complètement en contact, ça explique qu'on ne s'envoie pas en l'air pour de bon.

— C'est vrai ?

— Qu'on ne s'envoie pas en l'air ?

— Que personne ne touche personne…

Elle devint sérieuse.

— Oui, c'est vrai… Rien ne se touche sur la terre, aucun être humain ne peut se coller à un autre.

— Je n'avais jamais entendu ça.

— Moi non plus, c'était une découverte… Donc qu'un humain comprenne un autre humain sur une planète où personne ne peut toucher personne, c'est impossible. C'est pour ça, ne t'en fais pas, tu n'es pas le seul à ne pas comprendre les autres, personne n'y comprend rien.

— Mais les écrivains, eux, ils comprennent les hommes, ils les décrivent…

— Oh arrête, qu'est-ce qu'ils y comprennent ? Vas-y, écris et décris autant que tu veux, qui va te contredire ? De toute façon personne ne connaît la vérité.

— Mais la littérature me guérit.

— C'est peut-être que tu es malade.

— Mais toi, je veux te comprendre toi.

— Il n'y a rien à comprendre chez moi, tout est là devant tes yeux.

— Et ce que je ne vois pas ?

— Rien à chercher à comprendre là non plus, à moins d'être mal élevé.

Puis, comme d'habitude, elle mit un terme à la dispute et changea complètement de sujet. Elle n'aimait pas les polémiques. Sıla c'était tout le contraire, elle adorait les longs débats acharnés, sur n'importe quel sujet, elle y prenait plaisir. Ces jours-là, Sıla me fit une proposition qu'elle n'avait encore jamais faite :

— Tu veux que je reste dormir chez toi cette nuit ?

J'étais réellement surpris.

— Chez moi ?

— Oui, mais si ça te dérange tant pis, ça n'a pas d'importance.

— Non, comment ça me dérangerait, bien sûr que j'ai envie que tu restes dormir. Mais que va dire ta mère ?

— Je lui dirai que je suis chez une copine.

Elle téléphona à sa mère, puis en raccrochant me fit signe que c'était bon. Nous passâmes chez l'épicier acheter du fromage, des chips, deux canettes de bière, une tablette de chocolat. Dehors il bruinait, il faisait un froid glacial qui vous donnait une seule envie, être sous la couette dans une chambre bien chaude. La mienne l'était, la pluie n'entrait pas, elle coulait doucement sur la porte-fenêtre du balcon. Nous n'avons pas allumé la lumière, nous contentant comme d'habitude de laisser briller celle de la salle de bains, avec la porte entrouverte. On dressa notre "dîner" sur la table basse. Sıla enleva ses chaussures et son pantalon et s'assit sur le lit. Elle avait gardé sa veste et son chemisier. Cette étrange combinaison avait quelque chose de lascif, d'excitant. C'était comme annoncer qu'on ne ferait pas l'amour tout de suite, mais qu'on pourrait le faire à tout moment ; que nous n'étions pas dans une piaule d'étudiant où il fallait se presser, mais dans un vrai appartement à nous, où rien ne pressait. C'était ce que je ressentais, et ça m'excitait terriblement. Et je crois que c'était son intention, elle voulait me montrer, et peut-être à elle-même aussi, peut-être à nous deux, ce que ce serait d'habiter ensemble.

Il pleuvait de plus en plus fort, mais les gouttes qui battaient contre les vitres ne rendaient pas le même son que quand j'étais seul chez moi, avec Sıla ça devenait un plic-ploc amical, tendre, apaisant.

— L'autre jour j'ai regardé *Sonate d'automne* d'Ingmar Bergman à la télé, je n'avais encore jamais vu ce film, dit-elle en contemplant la fenêtre.

Je l'avais vu il y a longtemps, je me souvenais seulement d'une phrase, "un papillon s'écrase contre la fenêtre", ça m'avait marqué. Sıla, elle, se souvenait surtout de ce que la fille dit à sa mère, une grande pianiste, à propos d'un prélude de Chopin : "Il y a certaines parties qu'il faut savoir mal jouer." Un débat s'engagea sur la question de savoir si dans un roman il était nécessaire que certains chapitres fussent mal écrits. Nous avions fini de dîner, j'avais enlevé mes chaussures et m'étais assis sur le lit à côté d'elle, nos dos appuyés contre le mur, et nos jambes se touchaient.

Elle soutenait qu'on devait écrire chaque chapitre du mieux possible, afin que le récit ne perdît jamais l'intérêt du lecteur, tandis que je défendais l'idée selon laquelle certains passages plus faibles pouvaient au contraire l'accroître.

— Un écrivain ne peut pas volontairement mal écrire, c'est impossible, disait-elle.

— Mais s'il se laisse guider par son intuition, ça peut arriver... Ses impressions prennent alors le relais pour prolonger le récit.

Nous avions conscience de nous disputer arbitrairement, pour pas grand-chose d'essentiel, comme deux étudiants dans un concours d'éloquence, mais ça ne nous dérangeait pas, au contraire, le plaisir n'en était que plus grand. Nous savions que c'était aussi l'amour de la littérature qui nous liait l'un à l'autre, et loin de le défaire, la divergence de nos opinions, attestant de la puissance de cet amour chez chacun, renforçait encore ce lien qui nous unissait.

— Pourquoi tu ne te déshabilles pas ? dit-elle. Ça ne te gêne pas d'avoir encore tous tes vêtements ?

J'enlevai mon pantalon, mes chaussettes. Nos quatre jambes côte à côte et nos quatre pieds nus s'alignaient sur le lit comme des marionnettes.

— Prenons par exemple Dostoïevski, lui dis-je.

Nous étions d'accord pour dire que les immenses romans de Dostoïevski étaient très mal écrits. Elle soutenait que s'il avait mieux écrit, s'il avait eu un plus grand style, ses romans auraient été encore meilleurs, et moi je disais que c'était justement la confusion du style et du récit qui permettait de révéler le chaos de l'âme humaine aussi génialement que Dostoïevski l'avait fait. Elle retira sa veste, on voyait le début de ses seins. On débattait, on s'embrassait. La pluie avait viré à la tempête, un fracas énorme, puis on s'embrassait et le bruit disparaissait.

Nous fîmes l'amour très tendrement, calmement, sans se brûler l'un l'autre, à rebours de toutes nos habitudes, c'était très beau. Rien ne pressait, nous étions chez nous. Tout était pris dans une douce harmonie. Quand nous eûmes fini, Sıla ouvrit la tablette de chocolat pour en prendre un carré. "Comme les champs de lavande", pensai-je alors. Mon père m'emmenait parfois monter à cheval, très tôt le matin, c'était lui qui m'avait appris, "place tes pieds dans les étriers, pousse avec le talon vers le bas, serre bien les cuisses contre ses flancs, tiens le dos droit", et nous traversions des champs de lavande, les fleurs se couchaient toutes d'un côté sous le vent, puis elles se redressaient tout ensemble, elles ondulaient en rythme, dans une harmonie parfaite, et mon père, à vrai dire, n'aimait pas faire l'agriculteur, il aimait lire des livres d'histoire, il aimait monter à cheval, si bien qu'une fois je lui avais demandé, "papa, pour-quoi tu fais ce métier ?", "les traditions, mon fils, il avait répondu, ces traditions qui nous créent et qui nous détruisent", et avec une audace propre aux hommes qui n'aiment pas leur travail, et malgré les récriminations de ma mère, il avait investi toute sa fortune dans un seul produit, puis il était mort, la mort est une chose plus simple et plus incompré-hensible que la vie, il était si noble sur son cheval au milieu de tout ce vent couleur lavande, il ne res-semblait pas à quelqu'un qui va mourir, personne ne ressemble à quelqu'un qui va mourir, avec madame Hayat une fois nous avions regardé un documentaire en noir et blanc sur des vieilles célébrités du cinéma mortes depuis longtemps, on les voyait à l'écran, toutes joyeuses, je n'avais pu me retenir de faire ce commentaire stupide, "ils rient", et madame Hayat avait répondu "parce qu'ils ne savent pas qu'ils vont mourir", et personne ne se touchait vraiment, tous les morts étaient enterrés ensemble, la mort était un cliché. Les libellules dessinent le cœur de l'amour en copulant, la métamorphose de la copulation en amour était un cliché, le fait que je l'ai découvert avec madame Hayat était un hasard, et elle jouait avec la mort comme elle jouait avec la vie…

— À quoi tu penses ? me demanda Sıla.

— À rien.

— Est-ce que c'est parfois nécessaire de mal faire l'amour ?

— Je ne sais pas, c'était si mauvais ?

— Non, c'était très beau. Je disais ça comme ça.

La tempête continuait dehors, quand nous recommençâmes à faire l'amour le bruit cessa. On s'endormit peu avant le matin, fatigués de bonheur. Au moment où j'entrais dans le sommeil profond, je fus réveillé par sa main qui se baladait entre ses cuisses.

— Tu dors ?

— Non.

— Est-ce que tu es capable de me foutre à toutes les heures du jour ?

— Oui.

Je me tournai vers elle.

Le ciel devenait pâle.

— Il fait jour, s'écria-t-elle, fini de dormir, ce matin on va petit-déjeuner au bord de la mer.

La journée commençait dans la grisaille et l'humidité, les rues étaient désertes, nous avons pris des *börek* tout chauds dans une boutique qui venait d'ouvrir, puis nous avons trouvé un café au bord de la mer. Un serveur encore tout ensommeillé nous a apporté du thé. Les *börek* craquaient délicieusement sous la dent.

Nous étions assis face à face. Elle avait des cernes sous les yeux, son visage était encore plus fin que d'habitude, elle était extraordinairement belle, je regardais sa beauté sans y croire, comme si je la voyais pour la première fois.

— Tu es heureux ?

— Oui.

— Quand est-ce que tu candidateras pour l'université là-bas ?

— Je le ferai aujourd'hui, tout de suite après t'avoir déposée.

Elle me sourit.

— C'est bien.

Elle me caressa doucement la main. Je revoyais les champs de lavande.

Je la déposai devant chez elle.

Le mensonge est un cliché, que j'aie menti était un hasard, que tous les mensonges ont un prix, un autre cliché, et que j'aie senti que celui-là j'allais bientôt le payer très cher, c'était un hasard.

À Dieu aussi il arrive de mal jouer sa partition ; le morceau n'en est que plus intéressant.

J'étais épuisé. Je rentrai me coucher. Il y avait un tournage le soir.

XI

Elle, madame Hayat, était elle-même et ne ressemblait à personne d'autre. Il m'était impossible de prédire quand elle agirait, ni comment. J'avais beau sentir que le jour était bientôt venu, elle me prendrait par surprise. Quelque chose se rapprochait et je ne comprenais même pas quoi, je n'avais aucun moyen de le savoir. Elle avait préparé un repas magnifique. La table, extraordinaire, faisait penser aux images de la Cène qu'on voit dans les tableaux. Tout le salon baignait dans une lumière d'ambre, des grands bouquets de mimosas trônaient dans les vases. Un étincellement d'or roux illuminait ses cheveux. Nous buvions du vin rouge.

— Toi et moi nous avons dû être des chevaux sauvages de Pologne, dit-elle au milieu du repas, car à la tête de leurs grands troupeaux qui parcourent la plaine polonaise, on trouve toujours un jeune étalon et une vieille jument. Nous étions heureux là-bas…

Après le dîner, elle passa une nuisette en dentelle gris fumé et fit quelque chose qu'elle n'avait encore jamais fait : elle dansa pour moi. En dansant elle découvrait ses seins, ses hanches, son ventre, sa chair. Chaque fois que je tentais de me relever, elle me repoussait avec un sourire et je retombais sur mon siège.

Ce fut une longue nuit, exceptionnelle, incomparable. Par un sortilège connu d'elle seule, et aussi facilement qu'on soulève un rideau de tulle, elle me dévoilait des réalités jamais vues, ni touchées, ni goûtées, et comme chaque fois, c'était dans un autre univers qu'avec elle j'évoluais.

Le lendemain matin, un superbe petit-déjeuner m'attendait.

— Je t'ai vu avec cette fille, dit-elle à un moment, en prenant un morceau de fromage, sans me regarder dans les yeux.

— Quelle fille ? répondis-je, et vraiment je n'avais pas compris de quoi elle parlait, seulement je sentais que ça pourrait changer toute ma vie.

— La fille qui était avec toi au studio une fois, c'était elle…

— Où est-ce que tu nous as vus ?

— Vous êtes passés à côté de moi en voiture.

J'étais passé devant elle avec une autre fille, dans sa propre voiture. Plus que la frayeur, c'était de la honte que je ressentais. Honte d'avoir pu être aussi égoïste et mesquin, à présent que ma mesquinerie, démasquée, sautait aux yeux, mais la peur qu'elle se venge et peut-être me quitte était plus forte, elle étouffa la honte.

— Ah oui, Sıla…

— Elle s'appelle Sıla ?

— Oui.

— Vous vous voyez souvent ?

— De temps en temps… Elle fait des études de lettres comme moi.

— Vous devez avoir beaucoup de choses à vous dire, alors.

Je me tordais sur place comme une bestiole amputée, sans savoir quoi faire ni dire. Pour quand même lui prouver qu'il ne pouvait pas s'agir d'une relation à long terme, j'ajoutai :

— D'ailleurs elle veut quitter le pays, elle partira bientôt au Canada.

Elle, d'une voix monocorde, imperturbable :

— Et elle ne t'a pas dit viens avec moi ?

— Elle n'a pas dit viens avec moi, non, seulement qu'il n'y avait pas d'avenir ici, et pourquoi tu veux rester là, et cetera, mais ce n'était pas une discussion sérieuse.

Elle réfléchit un instant, puis continua sur le même ton :

— Elle a raison, il n'y a vraiment pas beaucoup d'avenir ici pour les jeunes. Tu n'as jamais pensé à partir ?

— Je ne sais pas. Ce n'est pas si simple, j'ai l'université. Puis il y a la question de l'argent, comment faire…

— Les problèmes d'argent ça se règle. Une solution, ça se trouve toujours. Pars avec cette fille, si tu veux mon avis. Vous aurez la possibilité de vivre une vie meilleure, là-bas.

Elle ne s'énervait pas, elle ne demandait pas d'explications et, ce qui était le plus effrayant, le plus insupportable, elle retournait la situation en sa faveur, elle faisait comme si aucun lien particulier n'existait entre nous, elle m'écartait tranquillement de sa vie. Avec une sérénité et une impassibilité plus blessantes que n'importe quelle colère.

— Je ne sais pas.

— Moi je crois que tu sais.

À cet instant, je surpris dans sa voix une bribe d'irritation. Ce fut la seule. Le sujet était clos. Je m'habillai et me préparai à partir. En la quittant je déposai les clefs de la voiture sur la table. Elle l'avait vu mais ne dit rien.

En sortant dans la rue je sentis une solitude atroce, aussi une sorte de colère, comme si ce n'était pas moi qui avais trompé, mais quelqu'un qui m'avait trompé, qui m'avait quitté au moment où je m'y attendais le moins. J'avais envie de remonter chez elle, cependant je savais qu'elle m'accueillerait avec ce petit sourire que rien n'effacerait jamais, et que c'en serait trop pour moi. Je ne pouvais plus la rejoindre. Je l'avais perdue.

Aussi, me rendre compte que je ne savais rien d'elle augmentait ma solitude. Je ne savais pas où elle était née, qui était sa famille, ce qu'elle avait vécu, ce que ses parents étaient devenus. Elle n'avait jamais répondu à aucune de mes questions, "ma vie n'a rien d'intéressant", disait-elle pour couper court, et si j'avais le malheur de me faire insistant, elle se moquait de moi.

— Tu n'as jamais été mariée ? lui avais-je demandé une fois.

— Si, deux trois fois, dit-elle en riant.

— Personne ne se marie deux trois fois, soit on a été marié deux fois, soit trois, mais pas deux trois fois.

— Alors disons trois.

En réalité, je ne savais même pas si elle avait été mariée une seule fois. Un jour encore, tandis qu'on achetait de la viande chez le boucher, elle dit : "mon père était boucher", et je fus bien surpris de l'entendre dire plus tard, chez un fleuriste :

— Mon père était fleuriste.

— Tu avais dit que ton père était boucher.

— Quand ça ?

— Une fois, quand on achetait de la viande…

— Mais non, tu inventes ! dit-elle en haussant les épaules.

Elle s'amusait à faire, défaire et refaire son passé comme une boule de pâte à modeler, suivant son bon plaisir, comme s'il n'avait aucun intérêt pour elle, et puisqu'il ne l'intéressait pas, elle était convaincue que les autres n'avaient pas à s'y intéresser. La seule chose que je connaissais de son passé, c'était cet homme, Remzi. Triste connaissance, elle ne servait à rien d'autre qu'à m'enfoncer dans ma solitude. Pourquoi s'était-elle mise avec un type comme ça ? Est-ce qu'après moi elle se remettrait avec un type de ce genre ? Est-ce qu'elle écouterait ses discussions vulgaires, est-ce qu'elle rirait à ses blagues grossières ? Est-ce qu'il la traiterait mal ? J'aurais voulu la protéger des types comme lui, mais si je lui avais dit ça elle se serait moqué : "Je me protège très bien toute seule, Marc Antoine, aurait-elle dit, occupe-toi de défendre Rome."

J'étais persuadé que je ne la reverrais plus. Son absence au studio de télévision, deux soirs de suite, vint confirmer mon pressentiment. Je ne savais pas quoi faire. "Tu comprends, m'avait-elle dit une fois, au centre de chaque galaxie il y a un trou noir, toutes les galaxies se forment et s'étendent à partir de ces trous noirs, puis un jour elles disparaissent, englouties par le trou noir." Un peu plus tard, elle ajouta, avec une pondération, une sagesse, dont l'irruption dans sa voix me surprenait chaque fois : "Il m'arrive de croire que les êtres humains aussi ont en eux une sorte de trou noir, et qu'un jour vient où nous disparaissons tous dans ce trou noir." Le chagrin et le regret d'elle me laissaient désemparé.

Ce n'étaient peut-être pas les bons mots, chagrin et regret, reste que dans le chaos de pensées qui m'agitaient ces jours-là, et que ces mots synthétisaient plus ou moins, l'objet de mon regret n'était pas madame Hayat, mais la relation que j'avais avec elle, le regret ne désignant alors rien d'autre que le vide brutalement laissé par la fin d'une relation qui occupait une grande part de ma vie, quant au chagrin, c'était la stupéfaction prolongée devant ce changement existentiel, mais aucun de ces sentiments, me répétais-je, n'était véritablement réel. Madame Hayat, à vrai dire, n'était pas quelqu'un qu'on pût regretter, ni dont l'absence méritait qu'on eût du chagrin, voilà ce que je voulais croire, toujours prompt à la faire tomber de son piédestal, à la mésestimer et à la rabaisser pour me libérer de ma peine. Et je répétais l'opération, encore et encore.

Aujourd'hui pourtant, à présent que le temps a passé, je ne cherche plus à me mentir, et c'est le cœur plein de regret que je repense à son rire, à son optimisme inébranlable, propre aux êtres qui savent vivre le désir du moment et ne vivent que de tels désirs, à son insouciance, à ses tendres moqueries, à son talent pour ridiculiser la vie et la mort, à nos sublimes nuits d'amour, aux mouvements de sa chevelure or et feu. J'ai accepté la vérité : elle était la personne la plus extraordinaire, la plus fascinante que j'ai rencontrée dans ma vie. J'ai compris que mes tentatives de la rabaisser et de fuir, à cause de la peur que j'avais de dépendre émotionnellement de mon admiration et de mon attachement pour elle, étaient vaines, inutiles. Je sais que ma raison, incapable d'établir le vrai du faux, ne triomphera jamais de ces sentiments qui rendent la raison dérisoire. J'ai vécu la grande déroute, j'ai vécu dans ma chair la grande défaite qui se produit toujours quand on commence à se livrer ce genre de guerre intérieure, j'ai déposé les armes et je me suis rendu à moi-même. Quand je dis à moi-même, je veux dire à mes émotions. Et je ne parle pas seulement de moi. Sa lettre, à force de la relire, me fit comprendre quelque chose auquel je n'avais jamais pensé. Elle aussi avait essayé de me fuir. Sa disparition soudaine, à présent j'en suis convaincu, n'était rien d'autre qu'un effort désespéré pour s'enfuir loin de moi. Peut-être s'était-elle dit qu'elle n'avait pas le droit d'hypothéquer l'avenir d'un garçon de mon âge. Elle n'imaginait pas qu'en cherchant ainsi à me protéger, c'était me blesser qu'elle allait faire.

Après avoir perdu madame Hayat, j'appelai Sıla plusieurs fois ; elle aussi était occupée.

— Tu as rempli les formulaires pour l'université au Canada ? me demanda-t-elle.

— Non, pas encore.

— Bien, dans ce cas…

Le troisième soir, elle était là, dans sa robe couleur de miel. Elle dansait, enveloppée dans ce halo d'or embrasé que je connaissais si bien. La joie me tournait la tête.

Elle vint me voir à la pause :

— Ne t'enfuis pas, on ira dîner, dit-elle.

Comment réussissait-elle à être aussi calme, je ne comprenais pas. Sa sérénité me vexait.

L'émission terminée, nous allâmes dîner au milieu des statues. Elle était d'humeur joyeuse. Nous faisions l'un et l'autre comme si rien ne s'était passé, mais quelque chose s'était passé, nous le savions tous les deux.

Pour exciter sa curiosité, lui faire un peu peur et l'empêcher de me quitter, je lui parlai de la revue du Poète et du travail que je faisais pour la rédaction. C'était une erreur. Sa peur fut beaucoup plus grande que j'imaginais, sa réaction tout à fait imprévue.

— Tu t'es mis dans de beaux draps, Marc Antoine, plus tôt tu partiras, mieux ce sera. Va-t'en au Canada avec cette fille, elle a l'air bien. Ici tu auras très vite des problèmes. Et je ne supporterai pas que tu ailles en prison.

J'essayai de la rassurer :

— Mais non, ce n'est pas un travail risqué, tu sais.

— Alors pourquoi ce garçon s'est jeté par la fe-nêtre ?

Je ne savais pas quoi répondre.

— L'heure est venue que tu t'en ailles, Marc An-toine, crois-moi.

— Je te manquerais si je partais ?

Je crus voir un instant ses lèvres trembler.

— Tu me manqueras.

Elle me caressa la main.

— Allez, mange, tu ne manges rien.

Nous sommes allés chez elle. Elle passa sa jupe courte, ses sabots à talons. Tout était comme avant. Nous avons fait l'amour, regardé un documentaire, bavardé. Tout était pareil mais je ressentais comme un manque, un manque qui nourrissait mes doutes et mon chagrin, sans réussir exactement à l'identi-fier, peut-être était-ce son visage qui se rembrunis-sait entre deux sourires, ou le fait qu'elle ait quitté le lit plus rapidement qu'à l'ordinaire, qu'elle n'ait pas plaisanté autant que d'habitude... De petits changements. Et je sentais que ces petits change-ments, à peine perceptibles au premier abord, en annonçaient de grands. J'eus l'image d'un bateau qui, après une foule de petites manœuvres à bord, s'apprête à lever les dernières amarres et l'ancre pour quitter le port.

L'air s'adoucissait. Les arbres étaient en fleurs. De petits nuages facétieux glissaient sur la ville. Une vivifiante odeur d'iode flottait dans l'air. Mais cette allégresse qui courait au flanc des immeubles ne descendait pas jusque dans les rues, qui étaient froides, la mine grise, traversées d'hommes qui ne riaient pas. Dans ma rue, qui il y a encore un an, à la même saison, débordait de monde et de rires, on ne croisait plus que quelques piétons solitaires, et, devant la porte des restaurants, les serveurs attendaient le client d'un air déprimé.

Dans notre auberge espagnole aussi, tout se dégradait. Il y avait des disputes dans la cuisine, les locataires se suspectant mutuellement de vols d'aliments dans le frigidaire. Le samovar ne fumait plus. L'un des locataires avait poignardé Gülsüm, on l'avait transporté à l'hôpital. Nous lui rendîmes visite, Bodyguard et moi, il se mit à pleurer dès qu'il nous vit entrer dans sa chambre. Le commis à la petite moustache s'était installé dans la chambre du Poète.

Je voyais toujours madame Hayat et Sıla, mais ce n'était plus si régulier. L'une et l'autre semblaient tramer contre moi quelque chose dont je refusais de m'avouer le nom. Sıla continuait ses démarches auprès de l'université canadienne, elle avait envoyé tous les documents et attendait désormais la réponse finale. Elle ne rendait plus visite aux fermiers. Une sorte de froideur s'était glissée dans nos discussions, nous ne riions plus comme avant. Elle ne me demandait même plus si j'avais rempli et envoyé le fameux formulaire.

Un jour, je passai la prendre pour l'emmener en cours. Tandis que nous marchions, une grosse voiture s'arrêta à notre hauteur. Yakup ouvrit la portière :

— Montez !

— Merci, il fait beau, on va marcher un peu, répondit Sıla, mais l'homme insista.

Il insista tellement qu'on finit par être gêné de refuser. Nous montâmes dans sa voiture. Sıla s'installa derrière à côté de lui, je pris place à l'avant, à côté du chauffeur, pour ne pas les obliger à se serrer. Yakup l'entrepreneur portait un costume gris brillant, il lissait sa cravate à fleurs jaunes, mauves et violettes, sur sa poitrine un mouchoir vert de la taille d'une feuille de chou dépassait de sa poche.

— Comment ça va ma petite Sıla ? demanda-t-il sans même me saluer.

— Bien, et toi Yakup ?

— Du mieux possible, ma petite Sıla. On a récupéré la construction d'une autoroute. Une très grosse affaire… Comment va Muammer *abi* ? Il travaille toujours ?

— Oui, répondit Sıla d'une voix glaciale.

— Tu lui as dit qu'il pouvait venir me voir s'il avait besoin de quoi que ce soit, hein ? Tu lui as donné ma carte ?

— Je lui ai donné, oui.

— S'il a besoin d'aide…

— Je lui ai dit, Yakup.

Il y eut un silence.

— Il fait un temps magnifique, reprit Yakup, si on allait déjeuner au bord de la mer ? Il y a un nouveau restaurant…

Puis il fit un geste de la main vers moi.

— L'ami peut venir aussi, s'il veut.

À ces mots je me retournai et croisai le regard de Sıla. Elle éclata de rire en même temps que moi. Plus on essayait de se retenir, plus on riait, c'était nerveux, ça explosait tout seul.

Yakup s'énerva.

— Qu'est-ce qu'il y a de drôle, pourquoi vous riez ? C'est comique ou quoi ?

Sıla tapa sur l'épaule du chauffeur.

— Arrête-toi ici Yakup, s'il te plaît.

La voiture s'arrêta.

— Bonne journée Yakup, dit Sıla en sortant.

Ils étaient repartis, mais nous continuions de rire.

— Je suis désolé, j'ai pas pu m'empêcher, c'était plus fort que moi.

— Ne t'excuse pas, c'était bien fait, me répondit Sıla.

Elle me jeta un regard intense :

— Que font les fermiers ?

— Tu leur manques, répondis-je.

— Ils vont toujours au bal ? Allons leur rendre visite.

"En fait ils sont comme toi, ils n'ont nulle part où aller", dit-elle quand elle entra dans ma chambre

"J'ai rempli le formulaire", lui dis-je en ouvrant la porte du balcon.

C'était un mensonge, bien sûr, mais en le disant, je me promis mentalement d'envoyer le formulaire le jour même. Vérité et mensonge échangeaient leurs places avec une célérité étonnante, j'avais du mal à suivre le rythme.

— Vraiment ?

— Oui, vraiment...

— Je suis très heureuse, alors.

À quel point elle m'avait manqué, je le découvris quand elle tomba dans mes bras. On se ment parfois tellement à soi-même. On a beau connaître ses propres sentiments, on ne mesure pas toujours leur profondeur réelle, puis le sol s'ouvre sous nos pieds, on tombe dans ce puits, c'est la stupeur. Mes sentiments pour elle s'étaient accumulés en son absence, et en la voyant, en la touchant, c'était comme une porte qui s'ouvrait, un appel d'air, j'étais aspiré à l'intérieur.

— Envoie tous les documents, et dès que les examens sont terminés, on s'envole, dit-elle en fumant une cigarette.

Il y avait longtemps que je ne l'avais pas vue aussi joyeuse.

— Ils ont des écureuils sur le campus, là-bas, m'a dit Hakan.

— Je vais le faire tout de suite.

Mais je n'étais plus aussi souverain que tout à l'heure, quand j'ouvris triomphalement la porte du balcon, à présent j'essayais de masquer le tremblement d'incertitude dans ma voix. Pourtant, malgré mon indécision pathologique, je savais que je partirais avec elle. Les jeux étaient faits, le destin tracé, et je n'avais plus la force de m'y opposer.

— Comment on fera pour l'argent ? risquai-je encore.

— J'en ai parlé avec Hakan, il nous prêtera un peu d'argent à notre arrivée, on le remboursera petit à petit. Imagine, on pourra consacrer toute notre énergie à la littérature, on sera enfin libérés de tout ce merdier.

C'était un projet très séduisant.

Elle serra ma main dans la sienne.

— Pense à ces pauvres fermiers, eux aussi ont besoin de changer d'air, c'est devenu étouffant pour eux ici.

Puis, d'une voie aguichante, comme je ne lui avais encore jamais entendu, elle ajouta :

— Tu ne voudrais pas te réveiller tous les matins avec moi ?

Je ne savais pas qu'elle pouvait être aussi enjouée, aussi coquette, en général elle tendait plutôt à mépriser ce genre de minauderies.

— Ferme la porte du balcon, il commence à faire froid.

Je fermai la porte, elle écrasa sa cigarette, on fit à nouveau l'amour. Puis elle me chuchota dans le creux de l'oreille :

— Ne crois pas que tu as fini de me connaître.

Je l'accompagnai jusque chez elle, puis je rentrai chez moi sans perdre une seconde, Mümtaz devait m'apporter les nouveaux textes pour la revue. Or, ce soir-là, il ne vint pas. Je l'attendais en buvant un thé dans la cuisine. Le commis à la petite moustache entra, il me jeta un coup d'œil suspect :

— Tu attends quelqu'un ?

— Non, pourquoi tu demandes ça ?

— Tu as l'air d'attendre quelqu'un…

— Et toi, les affaires ça va ?

— Bien.

— Comment ça bien ? Les rues sont vides, il n'y a plus un seul client.

— On s'en contente très bien.

J'avais une furieuse envie de le frapper, de lui briser les os et de lui éclater la tête contre le mur. Pourquoi, je ne sais pas, sans doute que je devenais cinglé. Je quittai la cuisine précipitamment.

Le lendemain matin c'était le cours de monsieur Kaan. Je n'arrivais pas à me concentrer, mais quelques noms au milieu de son discours éveillèrent mon attention. Il disait :

— Si D. H. Lawrence n'avait pas été écrivain, mais le seul éditeur de littérature sur terre, nous n'aurions jamais pu lire Tolstoï, car Lawrence détestait Tolstoï, pour tout dire il le trouvait complètement immoral. Si Tolstoï avait été le seul éditeur du monde, nous n'aurions jamais lu Dostoïevski, car Tolstoï n'aimait pas Dostoïevski... Si Dostoïevski avait été le seul éditeur sur cette planète, nous n'aurions lu personne, puisque Dostoïevski n'aimait personne. Si Gide avait été l'éditeur, on n'aurait pas connu Proust, si ça avait été Henry James, pas de Flaubert...

Après le cours j'allai à la bibliothèque, mais impossible de lire une ligne, j'avais la tête ailleurs, je pensais à l'émission du soir, si madame Hayat serait là ou non.

Je repassai chez moi avant de partir pour le studio. Un bout de papier collé sur ma porte m'expliquait pourquoi les textes n'avaient pas été livrés : la revue n'existait plus. On l'avait obligée à mettre la clef sous la porte. Je ne recevrais plus d'articles. Je ne connaissais pas l'auteur de la note, il n'avait pas laissé de signature.

Madame Hayat n'était pas là.

Sur scène, une femme chantait, moulée dans une minijupe turquoise et un haut largement décolleté, dont le motif panthère ondulait vers la pointe de ses seins quand elle se trémoussait. Dans le public prédominaient désormais les femmes silencieuses, au regard triste. Battre des mains et danser en rythme n'était pas dans leurs habitudes, cependant elles s'y efforçaient, laborieuses et maladroites comme des débutantes.

À la pause, la blonde familière vint s'asseoir à côté de moi.

— Tu es toujours dans le fond, mais la caméra te capte souvent, dit-elle, alors je me suis dit que si je me mettais près de toi j'aurais plus de chances de passer à l'écran.

— Bien sûr, je vous en prie. Parce que c'est bien de passer souvent à l'écran ?

Son obsession d'être vue à tout prix me paraissait invraisemblable, moi qui n'avais qu'une crainte : que quelqu'un de ma connaissance, tombant par erreur sur ce programme, me découvrît en gros plan sur son écran.

— Comment ça serait pas bien ? Tu passes à la télé !

— Et ça fait quoi, de passer à la télé ?

Elle me jeta un regard incrédule, l'air de dire "mais t'es con ou quoi".

— Tu passes à la télé, répéta-t-elle.

Elle me regardait avec l'assurance de quelqu'un qui vient de faire une démonstration implacable. Oui, elle voulait être vue, elle voulait surnager, ne fût-ce que pour une seconde, au milieu de l'informe masse de ses sept milliards de congénères. Puis, comme on confie un secret, elle murmura :

— La rumeur court qu'ils vont arrêter l'émission, tu le savais ?

— Non, je ne savais pas.

— Madame Hayat ne vient pas aujourd'hui, qu'est-ce qu'elle a ?

— Je ne sais pas.

— Mais vous vous voyez souvent en dehors, non ?

Je ne répondis pas. Elle n'en fut pas offensée, et continua :

— Elle, elle le sait.

Toujours pas de réponse de ma part. Elle n'arrivait décidément pas à se venger de mon silence.

— Remzi le lui a dit.

Je baissai la tête pour ne pas qu'elle vît l'expression de mon visage. L'émission reprit. Et en effet, à un moment, nos deux têtes apparurent à l'écran. Elle me pinça le bras, toute joyeuse :

— Tu vois, je te l'avais dit !

Je quittai le studio seul, errant par les rues. Il n'y avait pas un chat dehors. En arrivant près de ma rue, j'aperçus les types aux bâtons. Ils étaient de bonne humeur, ils se taquinaient du bout de leurs gourdins. Je fis un détour par les petites rues de traverse pour ne pas tomber nez à nez avec eux. Chaque fois que je les voyais, une peur terrible m'envahissait. Marcher m'apaisait. J'avais oublié où j'allais. Je réfléchissais. Levant la tête, je m'aperçus que j'étais arrivé dans l'avenue où se trouvait le passage des bouquinistes. Mais le bâtiment n'était plus là. Il avait disparu. À la place, un grand trou avec une flaque de boue. Pendant des années j'étais venu ici, j'avais flâné dans l'odeur de poussière et de vieux papier, j'avais acheté là mes livres préférés, j'avais tenté de déchiffrer sur leurs pages jaunies les notes prises par ceux qui les avaient lus avant moi, et j'avais moi-même ajouté des signes aux signes, des pensées aux pensées, en annotant ces livres.

Ils avaient démoli tout le bâtiment, le vieux bouquiniste me l'avait annoncé pourtant, mais je n'y avais pas cru, je ne pouvais pas croire qu'un tel bâtiment pût disparaître. C'était comme une agression, une attaque contre moi-même. Il faut que je parte, pensai-je. Il faut que je quitte le pays. Ils sont entrés secrètement chez moi, ils ont détruit et brûlé mes affaires, et sur les murs effondrés ils ont écrit des slogans menaçants, ils ont annoncé qu'ils reviendraient. Voilà comment je raisonnais.

Je m'assis sur le trottoir. Pareil à un général vaincu, son armée enfuie, qui s'assied sur un rocher en attendant que les forces de l'ennemi le trouvent et le tuent, je méditais quelle était ma défaite, je découvrais ce qui m'avait vaincu, ce qu'était ma solitude, mon désespoir, mon impuissance. Sıla avait raison, il fallait s'enfuir pour survivre, nous devions partir, nous éloigner à tout prix d'ici.

Je ne sais combien de temps je restai assis là, en me relevant je titubai. Puis je rentrai chez moi, toutes les lumières de l'immeuble étaient éteintes, même celle de la cuisine, d'habitude toujours allumée, le samovar ne fumait plus. Je montai dans ma chambre, j'allumai la lumière, ouvris la porte du balcon. Le ciel était clair, les étoiles brillaient, la nuit avait un goût de printemps.

Mes fermiers s'en allaient au bal, bienheureux et insouciants. Et les déesses, que font-elles, me dis-je en prenant mon vieux dictionnaire de la mythologie. Elles ensorcelaient leurs amants pour qu'ils leur appartiennent et leur restent loyaux. Cybèle, jalouse, envoûtait Attis, Artémis charmait Aura pour se venger. Dionysos avait mystifié un tas de femmes. Le dictionnaire regorgeait de folies, de tragédies affreuses sur deux pages. Moi aussi j'aurais dû envoûter madame Hayat, la charmer, pour qu'elle oublie ce jour où elle m'avait vu avec Sıla, pour la délivrer de cette amertume qu'à cause de la différence d'âge entre nous elle ne se sentait même pas en droit de m'avouer, la charmer afin qu'elle n'ait plus peur pour moi. Je l'aurais fait, si j'en avais eu la force. Si j'avais pu être sûr que c'était le moyen d'effacer définitivement son "je t'ai vu avec une fille", je n'aurais pas hésité une seconde à me comporter comme un dieu.

Je m'endormis tout habillé, la porte du balcon encore ouverte. J'avais mal dans tout le corps.

Le lendemain, en arrivant à l'université, je découvris tous les étudiants rassemblés dans le jardin. La foule grondait. Je compris qu'il s'était passé quelque chose de grave. J'interpellai un camarade pour lui demander la raison de tout ça.

— Ils ont arrêté madame Nermin et monsieur Kaan ce matin.

— Pour quelle raison ?

— Ils auraient signé une déclaration commune. Les cinquante autres profs qui l'ont signée ont aussi été embarqués ce matin.

Je laissai la foule des étudiants derrière moi pour courir au secrétariat récupérer les documents dont j'avais besoin. Je mis tout dans une enveloppe achetée à la boutique de la cantine, puis je téléphonai à Sıla. Je voulais vivre ce moment-là avec elle. Nous allâmes à la poste.

— Pourquoi on ne les scanne pas plutôt ? On les enverra par e-mail…

— Ça me plaît plus par la poste, lui répondis-je. Elle plissa les lèvres.

— Tu es bizarre.

L'enveloppe fut expédiée.

— Ils ont arrêté Nermin et Kaan, tu sais.

— Oui, ils ont aussi embarqué cinq profs de notre fac. On s'en va pile à temps. On ne peut plus vivre dans ce pays, vraiment c'est impossible.

— Je suis tellement triste, dis-je, ils vont leur faire du mal. Et madame Nermin, imagine…

Je lui racontai aussi qu'ils avaient démoli le passage des bouquinistes.

— Hier soir, j'ai compris ce que ça veut dire d'être vaincu. Jamais je ne m'étais senti aussi vaincu, jamais je n'avais ressenti un tel sentiment de défaite.

— On finira par oublier tout ça, dit-elle.

— Ce n'est pas si facile d'oublier.

Elle voyait que j'étais réellement triste.

— Viens, rentrons chez nous, me dit-elle en me prenant le bras.

Jamais encore elle n'avait parlé de ma chambre en disant "chez nous". Je ne pus m'empêcher de rire :

— Le sexe comme consolation, c'est ça ?

— Tu connais une meilleure façon de se consoler ? Si tu en connais une autre, dis-le moi, j'improviserai.

La pointe de ces doigts qui serraient mon bras suffisait à me faire sentir combien je l'aimais, combien nous étions proches. C'était une chaleur dont on n'est jamais rassasié. Si je n'avais pas eu autant d'images de madame Hayat en tête, j'aurais pu dire, à cet instant, que j'étais heureux.

— Quel est ton parfum préféré, Sıla ?

— Pourquoi ?

— Je veux t'offrir ce parfum quand on atterrira au Canada.

Je la raccompagnai chez elle le soir, puis j'allai au studio de télé.

Madame Hayat était encore absente.

XII

Au bout de dix jours sans la voir, je fis ce que je n'avais encore jamais fait, je lui téléphonai, mais son téléphone était obstinément éteint. Une voix mécanique répétait "la personne que vous essayez de joindre n'est pas disponible", à m'en donner la nausée. Tout devenait métallique, absurde. Je n'en pouvais plus, alors au risque de me faire gronder, humilier, moquer, ou même d'être blessé par le seul fait de la voir, je partis chez elle.

Elle m'ouvrit, habillée d'une longue robe de chambre très couvrante, en chaussons plats, les cheveux attachés en chignon, pas maquillée, c'était la première fois que je la voyais sans maquillage, je ne sais pas quand ni comment elle faisait, mais elle était toujours légèrement maquillée, "la réalité est le pire ennemi des femmes, Marc Antoine, disait-elle, à la guerre toutes les ruses sont bonnes, tu sais", mais aujourd'hui elle n'était pas maquillée, son visage était comme éclairci, ses traits plus dessinés, une stupéfiante innocence avait surgi sous le maquillage. La fatigue se lisait sous ses yeux, elle n'avait plus ce pétillement de malice dans le regard.

Je compris qu'elle avait passé tous ces jours sans me voir retirée dans sa solitude, mais elle n'en sortait pas aussi facilement que d'habitude, elle demeurait pour ainsi dire sur le seuil, une expression étrange sur le visage, et l'idée de peut-être la déranger fit naître en moi une gêne atroce.

— Je m'inquiétais, dis-je.

— Entre, assieds-toi, dit-elle d'une voix calme, s'arrachant doucement à sa solitude.

Le ménage avait été fait récemment, les lumières étaient allumées, mais les vases étaient vides. Cela devait faire longtemps qu'elle n'avait pas quitté son appartement.

— Je m'inquiétais, répétai-je, incertain de ce que j'allais lui dire d'autre.

— J'ai compris, Marc Antoine, dit-elle en souriant, assieds-toi donc.

— Tu vas bien ?

— Je suis un peu enrhumée.

— Ton téléphone était éteint.

— Je n'étais pas en état de parler…

Ma venue ne l'agaçait pas, elle m'accueillait comme s'il n'y avait rien de plus naturel.

— Je te fais un café.

— Je peux t'aider ?

— Non, installe-toi.

Je m'assis. Elle revint avec deux cafés.

— Et toi, comment vas-tu ? Moi aussi j'étais inquiète, tu vas bien ?

— Oui, répondis-je avec un tremblement d'anxiété dans la voix.

— Détends-toi, et ne t'assieds pas sur une fesse, tu vas finir par tomber…

Je glissai dans le fond du fauteuil. Je l'observais, j'essayais de deviner ses sentiments, est-ce qu'elle était froissée, énervée, fâchée, est-ce qu'elle m'avait oublié… L'expression de son visage ne me donnait pas l'ombre d'un indice, je voyais seulement la fatigue dans ses yeux. Elle aussi m'observait, elle aussi cherchait à deviner quelque chose, nous traquions tous les deux des signes sur le visage de l'autre. Tel un nageur au milieu de la mer qui se demande si le tremblement à la surface de l'eau qu'il vient d'apercevoir à l'horizon annonce l'arrivée d'un énorme poisson ou seulement d'une minuscule vaguelette, j'essayais de savoir si cette ombre de chagrin que j'avais cru voir affleurer sous sa peau, au coin des lèvres et à l'angle des yeux, était bien réelle, ou si je l'inventais. Je voulais lui voir du chagrin, oui. Et à côté la joie qu'elle avait de me retrouver.

— Pourquoi tu me regardes comme ça ?

— Comment je te regarde ?

— Comme si c'était la première fois que tu me voyais… C'est mon âge qui te fait peur ?

— Quel âge, au contraire, tu as l'air plus jeune que jamais.

— Tu es un petit menteur, Marc Antoine, dit-elle en riant, mais tu es courtois, comme toujours… Tu as une élégance naturelle, tu sais, il ne faut jamais la perdre.

— Je ne mens pas, tu es la reine Cléopâtre, tu es éternellement jeune.

Elle sourit, et dans ce sourire, pour la première fois, je surpris le chagrin.

— Si seulement je pouvais être une jument polonaise plutôt qu'une reine égyptienne. Parfois, mieux vaut être cheval que reine, tu sais.

Puis, comme si elle s'agaçait de ses propres paroles, elle secoua la main dans un geste d'effacement :

— Enfin, laisse tomber tout ça, raconte-moi plutôt ce que tu fais, quand est-ce que tu pars ?

— Rien n'est encore fait, je n'ai pas encore réglé la question de l'argent, en réalité je ne suis pas certain de partir.

— Tu dois partir, tu es en danger ici, ils t'auront déjà mis sur leur liste. Et s'il t'arrive quelque chose, je ne tiendrai pas le coup, vraiment…

— Tu exagères.

— Ah Marc Antoine, faut-il croire que le jour est arrivé où c'est toi le fou et moi la raison ?

Elle jeta une jambe par-dessus l'autre, et, l'espace d'un court instant, mon regard s'enfonça sous sa robe. Ça suffit à me faire tourner la tête. J'étais comme une graine qui avait poussé dans sa terre, j'avais grandi sous son climat, en harmonie avec son air, son ciel, ses eaux, j'étais enraciné à elle, je lui appartenais, et même entraperçu de loin, au milieu de la foule d'un aéroport, d'une gare, d'un meeting, le moindre mouvement d'elle m'affolerait toujours. Elle était mon Merlin l'enchanteur, ma déesse Hécate, je ne pouvais me libérer de ses charmes, le bonheur qu'elle m'avait donné, personne d'autre ne pourrait me le donner. À présent je le savais. Et de me sentir ainsi attaché à elle me donnait l'étrange assurance de ne jamais la perdre.

Elle me connaissait, elle lisait dans mes regards.

— Qu'est-ce qu'il y a, Marc Antoine ?

L'angoisse avait disparu, j'avais retrouvé toute ma confiance.

— Tu ne veux pas ?

— Pas maintenant, dit-elle en riant, je suis vraiment épuisée… Laisse-moi me remettre un peu et on aura notre revanche.

C'était la première fois qu'elle refusait.

— Ne fais pas cette tête, je t'ai dit qu'on aurait notre revanche.

Puis, à nouveau sérieuse :

— C'est à cause de l'argent que tu viens perdre ton temps par ici ?

— Aussi, mais...

Elle ne me laissa pas finir, et comme on pose une question sans importance, elle me demanda :

— Que fait Sıla ?

— Elle a tout préparé, elle est prête à partir.

— En voilà une fille intelligente.

Il y eut un silence, un long silence. Sans les fleurs dans les vases, l'appartement semblait vide. Nous étions comme deux amants qui se séparent sur un quai de gare, il fallait se dépêcher de dire tout ce que nous avions à nous dire, mais il y avait tant à dire que rien ne sortait, les mots restaient coincés et nous avions la gorge nouée.

— Tu as vu des documentaires récemment ?

— Non, je n'ai rien regardé ces derniers temps, je n'étais pas en état de me concentrer.

— Qui veille sur toi quand tu es malade ?

— Je me veille toute seule.

— Tu veux que je m'occupe de toi ? Je peux rester, je t'aiderai à guérir. Tu me diras ce que tu veux manger, je cuisinerai pour toi.

— Ah Marc Antoine, dit-elle comme en gémissant... Je préfère qu'on me laisse seule quand je suis malade. Je ne veux pas que tu me vois dans cet état, ça te dégoûterait...

— Dans le bonheur ou dans les épreuves, répliquai-je en riant.

— Seulement dans le bonheur, si possible...

J'avais envie d'insister, mais ça ne servirait à rien, je l'avais compris. On aurait dit qu'entre nous s'interposait quelque chose de plus grand que nous, lié à nous mais indépendant de nous, quelque chose que nous ne pouvions effacer, un mur, insaisissable, invisible, un mur souple et puissant qui nous repoussait l'un et l'autre chaque fois que nous l'approchions de la main.

— Allez, file maintenant, dit-elle, je suis fatiguée, il faut que je m'allonge.

— Tu ne veux plus de moi ?

— D'ici quelques jours j'irai mieux, je t'ai dit, pour l'instant je suis trop mal fichue.

Je me levai. Elle me montrait déjà le chemin de la porte… Je m'arrêtai avant, la regardai. J'étendis le bras pour ôter la broche qui retenait ses cheveux, sa longue chevelure d'or feu ruissela sur ses épaules. Elle me dévisageait sans bouger d'un pouce.

Elle referma doucement la porte derrière moi.

En descendant les escaliers, je repensais à l'expression de son visage, une seconde avant de refermer la porte, que voulait dire cette expression ? J'y avais vu le regard d'un oracle qui a lu dans l'avenir et qui, plein de sagesse, acceptant les événements ainsi révélés, a cessé de se battre et de lutter. Et j'y avais vu aussi le minuscule, l'infime et amer sourire de ceux qui savent le destin joué.

Je me sentais déchiré, je m'accrochais à ce qu'elle avait dit, "d'ici quelques jours j'irai mieux", j'essayais de m'apaiser en me répétant ces mots. Elle ne donnait jamais d'explications, elle ne fabriquait jamais aucune excuse, donc elle ne pouvait pas mentir. Je la reverrais d'ici quelques jours.

Trois jours plus tard, je trouvai un avis de virement bancaire collé sur la porte de ma chambre, quelqu'un m'avait envoyé de l'argent. L'écriture tout entortillée de l'expéditeur ne permettait pas de déchiffrer son nom, mais dans la case "motif", je pus lire : "Pour voyage Canada." Je courus à la banque. Je montrai le papier, on m'accompagna dans un bureau. Une jeune employée prit l'avis, elle contrôla les informations sur son ordinateur.

— Un virement de cent mille lires a été effectué, vous êtes bien le bénéficiaire.

Je fus secoué par une joie énorme, la joie du naufragé au moment où il touche la plage, une joie autonome, délivrée de toutes les autres émotions. "Je suis sauvé", me suis-je dit, rien d'autre que "je suis sauvé". En une seconde j'oubliai tout, tout le monde, la terre entière, il n'y avait plus que moi, j'étais sauvé. Tout ce que j'avais vécu depuis la mort de mon père, tous les gens que j'avais rencontrés, tout ce que j'avais ressenti, tout cela disparaissait d'un coup avec ma pauvreté, il n'en restait plus trace. J'étais libre.

Plein d'égoïsme et de sang-froid, je me fis remettre l'argent et le versai sur le compte que j'avais ouvert un instant plus tôt. Je sortis de la banque empli d'une sensation de calme, de bonheur et de paix.

Il me fallut un peu de temps avant de démêler ce qu'il s'était passé là. Soudain, j'eus une révélation : elle avait vendu sa voiture. "C'est fini, pensai-je alors, elle m'a quitté. Je ne la reverrai jamais." J'avais la gorge sèche, je n'arrivais plus à respirer, j'avais le vertige, je dus m'asseoir sur le trottoir pour ne pas m'effondrer. La rue tournait et m'aspirait comme un tourbillon de cendre.

Quand je fus un peu remis, je lui téléphonai depuis la première cabine venue. C'était encore la voix insupportable :

— Le numéro que vous demandez n'est plus attri-
bué.

J'arrêtai un taxi et filai chez elle. Sa voiture n'était
plus là. Une autre était garée à sa place. Les rideaux
là-haut étaient tirés.

J'ai sonné. Sonné. Sonné.

On ne m'a pas ouvert.

XIII

Les premiers jours je fus comme aveugle, je vivais dans une sorte d'obscurité permanente, la ville s'était effacée de ma mémoire, j'avais oublié le nom des rues, j'étais littéralement perdu. Quand je ne dormais pas j'errais, marchais et marchais encore sans supporter l'arrêt, la poitrine écrasée, le souffle court, au rythme des râles qui me servaient de respiration. La perspective de ne plus revoir madame Hayat me projetait dans une chambre sans fenêtres et sans porte, et mon esprit se débattait vainement dans l'espoir de s'arracher à l'effroi de ce lieu hermétiquement clos. J'étais étranglé par le regret des phrases que j'aurais pu lui dire, quand il en était encore temps, et n'avais pas su dire.

Ce n'étaient pas tant la malice de ses regards, ni ses plaisanteries, ni même sa superbe nudité qui hantaient ma mémoire et revenaient toujours, mais certaines phrases, quand elle avait dit "choisis un moment", quand elle avait dit "parfois il vaut mieux être une jument qu'une reine", et aussi ses pleurs, au lit, pour la mort de la petite fille. Le malheur avait formé une telle croûte autour de mon être que la moindre image un tant soit peu heureuse se trouvait aussitôt brisée, refoulée, il n'en filtrait

plus aucune miette. Quand d'autre part je me souvenais qu'elle aussi avait de la peine, la fatalité de la
situation m'étouffait encore un peu plus, et inexplicablement, loin d'essayer de retirer ce couteau qui
me faisait saigner, je ne cherchais qu'à l'enfoncer plus
profondément dans la plaie.

J'étais mon propre juge, plein de stupeur, un
peu méprisant aussi, et certes madame Hayat
comptait énormément pour moi, certes j'étais fou
de son corps, de sa nudité, de son naturel, certes
j'avais toujours éprouvé pour elle de l'envie, du
désir, de la jalousie, mais aussi du mépris, mépris
sincère de son ignorance absolue de la littérature,
de ses rapports avec des hommes de bas étage, de
ses mensonges de gamine sur son père, de la façon
dont elle assumait de bon cœur ce rôle de figurante
dans une émission de télé pour banlieusards où elle
allait se trémousser sans vergogne au vu de tous, et
voyant que ce mépris me redonnait une sorte de
contenance, je l'entretenais soigneusement, avec
un égoïsme infâme. Au regard de ce sentiment-là,
tous les autres m'apparaissaient comme un jeu, et
même dans les moments où elle me manquait le
plus, je me persuadais que ce manque n'était pas
aussi authentique que je croyais, il ne me faisait
pas peur. Mon attachement à elle était physique,
oui, sa perte laisserait un vide dans ma chair, je le
savais, pourtant j'étais secrètement convaincu que
ce vide-là serait le plus facile à surmonter. C'était
l'âme, la conscience, l'esprit, enfin mon être tout
entier, bien plus que mon corps, qui subissait de
plein fouet le choc de son absence. Comment cela
était-il possible, je n'en savais rien, quand, comment madame Hayat avait-elle pris le contrôle de

ma conscience, de ma mémoire ? Comment se faisait-il qu'en la perdant j'aie l'impression d'avoir
tout perdu ? Quel jour, à quelle heure cette femme
que je n'aurais pas pu présenter ni à ma mère ni
à mes amis, avec laquelle j'avais toujours secrètement honte d'être vu dans la rue, à quel moment
donc exactement avait-elle pris possession de tout
mon être au point que sa perte semblait signi-
fier ma mort ? Je n'avais aucune réponse. Quelque
chose était advenu qui n'aurait pas dû avoir lieu,
je vivais quelque chose que je n'aurais pas dû vivre.
Je ne comprenais plus mes émotions, ni mes pensées, ni moi-même. Quand est-ce que cette relation n'était plus restée un jeu ? Il m'arrivait parfois,
en ces heures où je ressassais fiévreusement tout ce
qu'il s'était passé, de chercher ce "moment" dont elle
avait parlé. Et je ne trouvais rien. J'étais en colère
contre elle. Elle m'avait embarqué dans sa vie avec
insouciance, elle m'avait rejeté avec nonchalance.
Ça avait toujours été un jeu pour elle. Elle m'avait
piégé. Elle m'avait tout fait voir comme un jeu.
Elle riait de tout, elle riait avec malice, avec ironie,
elle riait superbement, et, puisqu'elle se moquait de
tout, j'avais cru que je saurais m'en moquer aussi,
"au pire on meurt", disait-elle, mais elle n'avait rien
dit de la douleur de mourir, elle méprisait la douleur, et moi aussi j'avais cru pouvoir la mépriser
comme elle. "Choisis un moment", disait-elle, et
c'était pour déprécier ce moment, je ne m'en étais
pas rendu compte, je n'avais pas imaginé que ce
moment-là pourrait être toute ma vie, elle m'avait
emporté loin au-dessus des hommes, de l'histoire,
de la littérature, dans un lieu réservé aux dieux, et
j'avais cru que je l'habiterais toujours. Elle m'avait

abusé comme Dieu a abusé Adam, puis au premier péché elle m'avait chassé du paradis. Et quand je lui avais demandé qui elle était, elle m'avait répondu comme Dieu répond à Moïse, "je suis qui je suis", et n'avait rien dit d'autre. Et, comme Moïse qui ne sait rien de Dieu, je ne savais rien sur elle. Elle me manquait. Elle se passait de moi, et moi je ne pouvais vivre sans elle. Comment était-ce possible ? "Il n'y a pas de règle", avait-elle dit une fois. Il n'y avait pas de règle. Et elle n'avait jamais lu un seul roman. N'y avait-il vraiment aucune règle ?

Entendre la voix de quelqu'un, discuter avec quelqu'un me manquait, parfois, or je ne supportais pas de discuter trop longtemps avec quiconque, le désir d'être seul me reprenait aussitôt. Sıla était occupée par les préparatifs du voyage. Je devais partir moi aussi, il n'y avait plus d'autre choix, et pourtant je sentais que l'impossibilité physique de voir madame Hayat m'empêcherait de vivre. La ville augmentait ma solitude.

J'appelai ma mère.

— Que se passe-t-il ? me demanda-t-elle avant même d'entendre le son de ma voix.

— Tout va bien.

— Tu as une drôle de voix.

— Je vais bien, maman, je te promets.

Il y eut un court silence.

— Je pars au Canada. Mais d'abord je vais venir te voir, je prendrai le bus ce soir, comme ça je te raconterai plus en détail.

Je pris un billet pour le car de nuit. Puis je rentrai chez moi me reposer. Dans la cuisine je croisai Emir et Tevhide. La petite courut vers moi et me prit par la main.

— On déménage, me dit-elle.

— Tu vas me manquer, Tevhide.

Elle étouffa un rire.

— Vraiment ?

— Oui, vraiment.

— Alors toi aussi tu vas me manquer.

Sous l'œil d'Emir la petite veine palpitait, je n'ai pas demandé où ils déménageaient, il ne me le dit pas. Nous nous serrâmes la main.

— Bonne chance, lui soufflai-je.

— À toi aussi.

Puis il ajouta :

— Peut-être qu'on se reverra un jour.

Oui, peut-être.

Je remontai dans ma chambre. Leur départ me causait plus de tristesse que j'aurais cru ; tout le monde s'en allait. Je m'allongeai sur mon lit sans réussir à m'endormir. Je sortis sur le balcon ; en bas, la rue était complètement vide.

Le car partit à l'heure. On traversa les lumières de la ville, puis il n'y en eut plus, c'était la nuit noire. La tête posée contre la vitre, je m'assoupis. Je me réveillai en sursaut, murmurant dans un demi-sommeil : "Je ne reverrai plus madame Hayat." Il n'y avait aucune autre issue, c'était terrifiant, terrifiant de se heurter, encore vivant, à ce désespoir qui ressemblait à la mort. Tant qu'il y a de la vie il y a de l'espoir, peut-être, mais il faut une certaine force pour susciter l'espoir, et je n'avais pas cette force. J'étais anéanti.

Le car arriva à huit heures du matin ; une demi-heure plus tard j'étais chez ma mère.

Elle s'était donné de la peine pour préparer un superbe petit-déjeuner. Je mangeai avec appétit, comme si mon organisme, mis face à ma mère, avait renoncé à dépérir. Je lui parlai du Canada, de mes projets, de l'université, de Sıla.

— Je pense m'installer là-bas, lui dis-je, peut-être que tu pourras me rejoindre. On vivra ensemble là-bas.

— Nous verrons, mon fils.

Si elle avait meilleure mine que la dernière fois que je l'avais vue, son visage était encore frappé d'une expression de tristesse et d'affliction. On avait l'impression qu'elle ne pourrait plus jamais rire, et qu'avec le rire c'était une part vitale de son être qui s'était détachée d'elle, j'en lisais l'absence dans ses grands yeux noirs. Des éclats de rire joyeux dont je me souvenais, il ne restait chez ma mère plus qu'un sourire courtois, mélancolique.

Après le petit-déjeuner nous allâmes dans un café en bord de mer, j'étais détendu, paisible, nous parlions de mon père, sa voix était pleine de chagrin et d'amour, elle aimait parler de mon père. Ce furent deux heures merveilleuses. Puis soudain, sans aucune raison apparente, je sentis comme une porte métallique, lourde, énorme, se refermer sur moi, j'avais du mal à respirer, je voulais repartir sur-le-champ.

Elle n'insista pas pour que je reste, m'accompagna jusqu'à la gare routière, et à la porte du car, elle me dit :

— Va, mon fils, plus tard, peut-être je te rejoindrai.

Je m'endormis aussitôt le car en route, et de tout le voyage ne me réveillai pas. À minuit passé, j'étais de retour chez moi. Je m'assis sur le balcon pour prendre un peu d'air.

J'eus soudain très soif. Je descendis dans la cuisine chercher de l'eau. Un vieux monsieur était attablé là, seul. Il portait un costume gris, une cravate noire. Ses cheveux étaient blancs comme neige. Il venait d'emménager. Il ne parlait à personne, de temps en temps il se traînait jusqu'à la cuisine boire un thé. Tout le monde pensait qu'il était fou. Il ne disait ni ne faisait pourtant rien qui pût le laisser penser. Mais la folie se lisait sur son visage. Ses traits semblaient se diluer sans cesse, dégoulinant comme une aquarelle trop mouillée, jamais la moindre expression nette ne s'y dessinait. Aucune trace d'émotion ni de réflexion sur ce visage. Ses yeux étaient toujours humides, comme s'il avait pleuré l'instant d'avant.

Nous nous dévisagions dans cette cuisine vide, moi frappé par la folie de son visage, et lui lisant sur le mien quelque chose que j'ignorais. Puis son expression prit une tournure plus nette, il réussit à prendre une mine pathétique et à la conserver.

— Viens, assieds-toi, me dit-il.

Sa voix était douce, quoique autoritaire.

Je m'assis en face de lui, il y eut un moment de silence, puis il se mit à parler :

— J'avais une boutique de timbres de collection. Je vendais des timbres très rares. Il y a trois mois, la rumeur s'est répandue qu'un timbre avec un défaut d'impression circulait sur le marché. Il faut savoir qu'il n'y a rien au monde qui a plus de valeur qu'un timbre avec un défaut d'impression. C'est le rêve de tout philatéliste de trouver un timbre comme ça, un timbre qui ne ressemble à aucun autre. Un jour, un ami philatéliste en qui j'avais toute confiance vient me voir, il me dit qu'il a trouvé le timbre défectueux. Je n'ai pas assez d'argent pour me le payer, il me dit, mais toi, achète-le. J'avais trouvé la cachette au trésor. J'ai vendu tout ce que j'avais, ma maison, ma boutique, ma voiture, tout. Et j'ai acheté le timbre que m'a montré mon ami. Puis j'ai attendu. Un jour, un très riche collectionneur est venu chez moi pour voir le timbre. Il l'a longuement examiné, puis, c'est un faux, il a dit. Pas possible, j'ai répondu, j'ai investi toute mon existence dans ce timbre. Dans ce cas on va demander à un expert, il a dit, j'ai dit d'accord. Le lendemain un expert est arrivé. C'était l'ami qui m'avait vendu le timbre. Il l'a examiné, c'est un faux, il a dit. Tu comprends, tellement j'étais aveuglé par l'obsession de l'avoir, je n'ai pas su voir que c'était un faux.

Il tira une petite enveloppe de sa poche, l'inclina légèrement, et un timbre atterrit sur la table.

— Le timbre le plus cher du monde, dit-il.

Puis, d'une voix toute douce :

— Mais il est faux… Il faut trouver l'original, le trouver et ne jamais le perdre.

— Et qu'est-ce que vous avez fait à cet ami qui vous l'avait vendu ?

Son visage se liquéfia de nouveau, ses traits se diluèrent, il regardait devant lui dans le vide comme s'il ne me voyait pas.

Il remit le timbre dans l'enveloppe.

— Bah, c'est comme ça, marmonna-t-il, puis il se leva et quitta la cuisine en traînant les pieds.

Je ne comprenais toujours pas pourquoi il m'avait raconté tout ça, mais il m'avait un peu fasciné. Ce n'était pas tant son récit qui était fascinant, que le fait qu'un homme qui avait franchi le seuil de la folie, rassemblant toutes les forces qui lui restait, en fût revenu dans le seul but de me raconter une histoire dont il pensait peut-être qu'elle me consolerait. Il avait mis toute sa volonté dans ce récit, le seul peut-être dont il réussissait encore à se souvenir. J'aurais pu, bien sûr, me désoler à l'idée que j'en étais arrivé à mériter la commisération d'un fou, mais ce n'était pas le cas, au contraire j'étais heureux qu'un homme aussi abandonné par la vie m'eût fait la charité du peu à donner qui lui restait. Je me sentais apaisé. Je remontai dans ma chambre et courus me jeter au lit sans même allumer la lumière. J'avais peur de me voir dans le miroir. Je crois qu'après avoir assisté, sur le visage d'un homme en route pour la folie, à cette espèce de dérapage qui laissait entrevoir, si brièvement que ce fût, un possible demi-tour, j'avais la terreur de surprendre sur mon visage la trace d'une déviance semblable, qui m'aurait renseigné sur la direction funeste de la trajectoire, et son irrévocabilité. Les angoisses de ce genre, ces jours-là, me paraissaient naturelles.

Deux jours plus tard, Sıla et moi achetâmes nos billets d'avion. Elle parlait du futur avec enthousiasme, j'aimais l'entendre, et l'écoutant j'essayais moi aussi de me convaincre qu'en traversant l'océan j'oublierais le passé, que je deviendrais un homme neuf, je n'avais plus le choix, il fallait croire à quelque chose, il me fallait maintenir un rêve vivant pour éteindre la mort en moi. Nous partirions dans deux semaines.

Comme je retrouvai ma chambre à la fin d'une de ces nuits que je passais en longues errances dans des rues dont j'avais oublié les noms, en allumant la lumière je découvris une enveloppe qu'on avait glissée sous ma porte. Je l'ouvris délicatement, et lus ceci :

Pourquoi n'es-tu toujours pas parti ? Oui, je te surveille, je viens de temps en temps vérifier si tu es encore là. Moi je pars demain. J'irai me perdre au fin fond du pays. Je ne reviendrai pas avant longtemps. Peut-être même jamais.

Oui, je suis triste. Très triste. C'est toi qui voulais que je le sois. Alors je le suis. J'avais oublié ce que c'est d'être triste. Je l'ai réappris. Être triste, c'est avoir oublié que tous les vingt mille ans, un bout de la terre se met à trembler.

Quand on est heureux, on oublie cette vérité-là. C'est étrange comme le malheur et le bonheur se ressemblent, l'un comme l'autre nécessitent qu'on oublie la réalité telle qu'elle est. Tu m'as fait connaître les deux.

Va-t'en, quitte ce pays. Prends Sıla avec toi et pars. Je serai heureuse de savoir que tu vas bien, que tu es en sécurité. Ici je m'inquiète trop pour toi. Grâce à toi, j'ai aussi réappris à avoir peur.

Fais ce que tu veux, aime qui tu veux, il te restera toujours un "moment" de moi, n'est-ce pas ? N'oublie pas de trouver ce moment-là, garde-le bien caché au fond de ton cœur. C'est ma seule exigence, elle n'a pas changé.

Mon beau, mon élégant Marc Antoine…

Comme le Poète autrefois, madame Hayat m'avait glissé des mains, je n'avais pas su la retenir. Elle était tombée dans le vide comme lui, elle ne reviendrait plus, et moi je ne serais plus l'homme que j'étais.

L'heure était venue de ne plus jamais revoir celle qui m'aimait. Elle m'aimait, oui, et en découvrant

cet aveu secrètement glissé entre ses lignes, j'éprouvai un soudain sentiment de joie et de victoire,
étrange bonheur d'une seconde qui ne fit ensuite
qu'augmenter ma peine, ma défaite, mon malheur.

Si j'avais su, alors, lui dire les mots que je n'avais
pas dits, tout mon avenir en eût été changé. Or ces
mots-là, manquants, imprononcés, butant contre
la vie, avaient pris une autre direction et passé leur
chemin.

Si je lui avais parlé, tout serait différent.

Mais je n'avais pas su.

XIV

L'été a passé, cédant la place à la fraîcheur cristal-
line des matins d'automne. Cela fait maintenant
trois mois que Sıla est partie. Je ne l'ai pas suivie,
au dernier moment j'ai renoncé. Où que j'aie pu
égarer le bonheur, j'ai décidé de le chercher ici, et
c'est ici que je le trouverai. Je crois que j'ai senti
qu'en mettant tout mon passé dans une valise jetée
par-dessus bord avant le départ, c'est un peu de mon
avenir qui disparaîtrait aussi, et qu'il me manque-
rait toujours quelque chose, que ce serait une muti-
lation dont je ne guérirais jamais. J'ai compris que
je ne pourrais supporter de vivre une vie amputée,
grevée par un manque qu'il me faudrait indéfini-
ment chercher à combler.

Le temps passe. Ce qu'il laisse derrière lui, je l'apprends en existant, c'est ma propre histoire, vestige
d'un temps passé que je continue de porter en moi.
Elle est riche, cette histoire, plus riche et plus dense
que j'aurais pu l'imaginer un an plus tôt. Tant de
choses accumulées en une si petite histoire, cela a
un prix, et je paie ce prix.

J'eus beaucoup de mal à annoncer à Sıla que je
ne partirais pas avec elle, j'en repoussai toujours le
moment, faisant et refaisant le dialogue dans ma

tête, ce que je dirais, ce qu'elle répondrait… Quant au vrai dialogue, très différent de tout ce que j'avais pu imaginer, il fut très déconcertant, très troublant, très blessant.

Je lui annonçai la nouvelle d'une seule traite, en tremblant : je n'irais pas au Canada avec elle, je demanderais le remboursement de mon billet. Elle ne comprit pas tout de suite, je crois, puis elle regarda devant elle, une main refermée en étau sur l'autre, écrasant si fort ses doigts que je les vis devenir blancs.

— C'est à cause de cette femme ?

Je me souviens que j'étais collé contre le bord de la table, comme si j'avais peur de tomber, toutes les femmes ont un magicien en elles, pensai-je alors, quand moi je ne comprends même pas ce que je vois, elles savent même ce qu'elles n'ont pas vu, elles ont percé tous vos secrets mais les gardent pour elles, et d'ici-là se taisent.

— Quelle femme ?

— Tu sais très bien, la vieille.

Puis elle ajouta une question à laquelle je ne m'attendais pas du tout :

— Tu as pensé qu'elle ne pourrait pas vivre sans toi, c'est ça ?

Elle venait de me révéler une blessure d'amour-propre que je n'aurais jamais suspecté chez elle. Je croyais pourtant que leur beauté protégeait les femmes, qu'elle les rendait invulnérables. Mais elle était blessée. Jamais je n'avais imaginé que j'étais en mesure de faire du mal à une femme aussi belle, et à cette pensée m'envahit une culpabilité étrange, difficile à formuler, mais c'était comme si, prenant l'apparence de quelqu'un que je n'étais pas, j'avais secrètement dérobé quelque chose qui ne me revenait pas.

Un instant je voulus être sincère, honnête, tout lui raconter, mais "être honnête n'était pas toujours juste, il fallait savoir choisir son moment", et je sentis que mon honnêteté la blesserait encore plus. Je devais trouver un mensonge qui s'arrangeât avec la réalité.

— Quel rapport avec cette femme ? D'ailleurs je ne la vois même plus…

Ce n'était pas complètement faux, du reste.

Sıla me toisa, elle était d'une beauté inouïe, une beauté comme je n'en reverrais probablement jamais. Si nous nous étions rencontrés à l'époque où mon père était encore en vie, où nous étions tous les deux riches, notre histoire aurait certainement pris une tout autre tournure. Elle était la femme dont j'avais rêvé toute mon enfance. Nous nous serions peut-être mariés. Et si quelqu'un avait quitté l'autre, ça aurait sans doute été elle. Mais les choses ne s'étaient pas passées ainsi. On ne comprend pas toujours ce que l'on est, ni ce que l'on fait.

— Bien, dit-elle en reprenant son sac.

Elle s'éloigna de quelques pas, avant de se retourner et de me lancer :

— Ne sois pas triste.

Elle avait décoché le dernier coup avec grâce, comme il seyait à une fille d'une telle classe.

Elle marchait vite, d'un pas décidé. Quelque chose dans cette course me rappela la fois où elle se tenait face au vent, les bras écartés. À cet instant, je ressentis une telle pulsion d'amour, un tel manque, que j'eus envie de lui courir après pour lui dire que j'avais changé d'avis. Mais je ne bougeai pas, et elle avait déjà arrêté un taxi. Je la vis monter, je suivis des yeux la voiture qui s'éloignait. C'était une belle journée, de petits nuages blancs dérivaient calmement sur un ciel bleu étincelant, les mouettes tournoyaient autour des immeubles en se chamaillant, un parfum de laurier se répandait dans les rues. Et, au milieu de cette joie qui irradiait dans chaque image, chaque son, chaque odeur que je percevais, la tristesse de la séparation et l'impression de solitude devenaient immenses.

Son départ me laissa comme une espèce de survivant émergeant d'entre les horribles décombres d'un long tremblement de terre dont l'ultime secousse, la plus dévastatrice, acheva de détruire ce qui tenait encore debout. Alors, comme d'habitude, j'ai cherché asile dans mes cours, dans la littérature. Depuis la lettre de madame Hayat je ne suis plus retourné au studio de télé, d'ailleurs il a été fermé quelque temps plus tard. J'ai trouvé un travail à la bibliothèque de l'université. J'y passe désormais la plupart de mon temps, à la pause de midi je m'achète un sandwich et m'en vais rejoindre mes camarades sous les arbres. C'est moi qui parle, en général, parfois j'en aide certains pour leurs devoirs. Ça me va très bien.

Le matin, je m'observe dans le miroir. Je n'y lis plus cette affreuse tristesse qui détourne les hommes de leur voyage au bout de la folie. Mon visage est frappé d'une expression de sérénité et de maturité telle qu'on en rencontre rarement chez quelqu'un de mon âge. Je ressemble à un vieil homme. Du reste, ce contraste entre ma jeunesse et l'usure de mon visage semble attirer les femmes, on dirait qu'elles ont envie de soulever la couverture rugueuse pour voir à l'intérieur du livre. "Ma vie n'a rien de bien intéressant, leur dis-je en souriant."

Nermin et Kaan sont toujours en prison. On ne sait pas exactement quand ils sortiront. Nous parlons souvent d'eux. Je crois en tout cas qu'après avoir vécu tout ça, j'ai trouvé une réponse à la question de monsieur Kaan sur les clichés et le hasard : naître est un cliché, mourir est un cliché. L'amour est un cliché, la séparation est un cliché, le manque est un cliché, la trahison est un cliché, renier ses sentiments est un cliché, les faiblesses sont un cliché, la peur est un cliché, la pauvreté est un cliché, le temps qui passe est un cliché, l'injustice est un cliché… Et l'ensemble des réalités qui déchirent l'homme tient dans cette somme de clichés. Les gens vivent de clichés, ils souffrent de clichés, ils meurent avec leurs clichés.

Quant à déterminer l'heure de leur naissance, celle de leur mort, la personne dont ils tomberont amoureux, celle dont ils se sépareront, celle qui leur manquera, le moment où ils auront peur, et s'ils seront pauvres ou non, c'est le hasard. Et lorsqu'un de nos proches est malade, qu'il meurt, ou lorsqu'on nous quitte, enfin lorsque le terrible "hasard" nous tombe dessus, le pouvoir du cliché recule. Tissés de hasards, nos destins nous empêchent de voir que ce qui nous arrive n'est qu'une longue suite de clichés. Et comme se révolter contre les clichés n'a aucun sens, c'est contre le hasard que nous nous révoltons, c'est à force de nous répéter "pourquoi moi", "pourquoi elle", "pourquoi maintenant", que les choses prennent une signification.

Aussi, bien plutôt que d'essayer de nous extirper de cette réalité vulgaire faite de clichés et de hasard, c'est au contraire plonger dedans qu'il nous faut tenter, toujours plus en profondeur, toujours plus profondément. Là, seulement, la littérature et l'existence pourront se rejoindre et ne faire plus qu'un.

Mümtaz et ses amis ont fondé une nouvelle revue. Je révise certains textes, j'en écris aussi, anonymement. Plus le temps passe, plus je prends de plaisir à écrire. C'est comme si j'avais découvert une sorte d'immense escalier qui court du ciel aux entrailles de la terre. J'essaie de comprendre les mystères de cet escalier. Écrire me donne la sensation de posséder une force capable de réinventer le temps et l'espace, l'impression d'être doué d'une liberté infinie. Pour la première fois de ma vie, j'entrevois l'existence d'un univers dont je pose moi-même les conditions et les règles.

J'ai aussi noté que l'écriture, en même temps de m'ouvrir en grand les portes de la liberté, ouvre la porte aux dangers venus de l'extérieur, me laissant exposé et vulnérable. Chaque matin à l'aube, je vais en sueur à la fenêtre pour voir s'il y a des voitures de police au pied de chez moi. La peur tremble en moi comme un fil tendu. Et cette peur, je crois qu'elle est en partie la dette que j'ai envers le Poète, pour ne pas avoir su le sauver.

Je me suis habitué à la peur, à la solitude, au manque, je ne me plains pas, j'ai appris à avaler en silence le poison qui est dans le miel. L'une des nombreuses leçons que j'ai reçues de madame Hayat.

Deux vers d'un poème de Shakespeare que nous avions étudié en classe ne cessent de résonner dans ma tête :

Ainsi tu fus à moi dans l'illusion un rêve ;
En dormant j'étais roi, au réveil tout s'achève.

Elle me manque. Je la revois quand elle dormait. La première nuit chez elle, en me réveillant je n'avais d'abord pas compris où j'étais, la lampe du salon était encore allumée, sa lumière se diffusait dans le long couloir, s'atténuant lentement au passage de la porte, des tomettes, des petits tapis, des poutres, pour arriver dans la chambre sous la forme de gouttelettes lumineuses. Les petites gouttes de lumière dansaient dans l'obscurité de la chambre. Et dans le lent glissement d'une de ces gouttelettes, j'avais vu apparaître ses longs cheveux de feu et d'or qui, découvrant une moitié de son visage, ruisselaient de l'arrière de sa tempe vers ses épaules. Son bras droit était replié contre l'oreiller, sa tête posée sur cette main, son bras gauche étendu sur le lit, la rondeur de son épaule émergeant hors de la couverture brodée de boucles et d'arabesques. Je l'avais légèrement soulevée pour contempler son corps nu, et toutes les gouttes s'étaient répandues comme une pluie d'or sur son dos musclé, ses larges hanches, ses fesses pleines et rondes, ses jambes dont l'une était repliée contre son ventre. Son corps nimbé de lumière se détachait dans la pénombre, et je l'imaginais à la ressemblance d'autres choses brillantes, ivoire, clair de lune, argent, tronc scintillant d'un peuplier sous le soleil de l'été, coraux rougeoyants des mers du Sud. J'avais fait l'amour avec elle. Ce n'était pas la chose banale et ordinaire que je connaissais, c'était comme s'engouffrer sous une cape magique, aussi fine qu'une soie de Chine, dont les ornements entrelacés dessinaient des figures de courtisanes, de dragons, de guerriers, d'oiseaux mythologiques, de flammes, de fleurs, de tourbillons, et qui, quand on la revêtait, vous faisait voir de l'autre côté du ciel. Le visage qui apparaissait, immobile, entre ses cheveux et sa nuque, était empreint d'une sérénité diaphane et innocente, dépouillé de cet air de moquerie désinvolte qu'elle avait dans la conversation, autant que de l'expression passionnée qui l'animait pendant l'amour, il inspirait un pur désir de tendresse et de protection. Tel était le sentiment qu'elle avait éveillé en moi. Elle tenait à la vie par tant de lieux à la fois, elle avait tant de facettes différentes qu'il m'était impossible de saisir qui elle était, et, de toutes ces images contrastées qui s'entrecroisent sans jamais se recouper vraiment, le tourbillon continue de hanter mon esprit. Et j'avoue que je peine à comprendre comment un seul être peut couvrir autant d'étendue dans la tête et le cœur d'un homme.

Tous les soirs sans faute, quoi qu'il arrive, je vais dans sa rue contempler ses fenêtres. Les rideaux se décolorent lentement. Mais ils n'ont pas été changés, personne d'autre n'a emménagé dans son appartement.

Ça me donne de l'espoir.

Je rêve qu'un jour je verrai une lumière couleur d'ambre à cette fenêtre. Je verrai une lueur apparaître entre les rideaux.

Je suis là.

J'attends.